文春文庫

ブタの丸かじり

東海林さだお

文藝春秋

ブタの丸かじり＊目次

ブタの丸かじり

おせちの内紛

カマボコと伊達巻きの確執を知っている人は少ないであろう。

カマボコと伊達巻きは、おせちの発生以来、重箱の中で激しい権力闘争を続けてきているのである。

おせち料理の重箱の重なりは、言ってみればビルのようなものだ。

三の重なら三階建て、五の重なら五階建てのビルだ。

しかも、このおせちビルは、雑居ビルではなく、食べ物屋だけが入っている、いわゆる〝飲食ビル〟なのだ。

このビルのどこを探しても、食べ物屋以外の店は一軒もない。

そしてこのビルの最上階（一の重）に、宿命のライバル、カマボコと伊達巻きは陣取っているのである。

二人の地位は、いずれもこのビルの副社長格だ。

では社長は誰かということになるが、このビルには社長がいない。

いままでずうっと社長不在でやってきて、これからも社長不在でやっていくにちがいない。

有史以来、両者の争いの決着がいまだについていないのである。

両者は常に対抗する。

表面ツルツルのカマボコに、表面ギザギザで対抗する伊達巻き。

伊達巻きの黄色の派手に、

紅白の意匠で対抗するカマボコ。

かつて板を敷いていたカマボコに、かつてスダレを巻いていた事実で対抗する伊達巻き。

そこにあるのは、動かしがたい対立の図式である。

対立する両者は、隣りあって並べられることはない。

必ずその間に、クリキントンなどの緩衝地帯が設けられている。

両者間を行き来しようとする者は、クリキントンに足をとられて転倒する。転倒したが最後、起きあがることができない。

クリキントンなどという、おかずにも、酒の肴にもならないものが、おせちに参加している理由はこれだ。

むろん、社内には派閥が存在する。

派閥の図式は実に単純で、カマボコ、伊達巻きの、それぞれの出身地によって自動的に組みこまれる。

カマボコの出身地は海だ。

従って、酢ダコ、カズノコ、昆布巻き、ブリ照り、海老、ゴマメなどがカマボコ派ということになる。

伊達巻きは卵が主体なので出身地は陸だ。

「ちょっと待ちなさい。伊達巻きには魚のすり身も入っているはずだ」

と言う人もいるかもしれない。

それに対しては、

「ちょっと待ちなさい。日本の陸上界に於いて、その事実が少しもない慶応大学が、〽陸の王者慶応！　と応援歌で叫んでいることと比べれば、伊達巻きに少々の海の部分があったとしても、伊達巻きを陸の王者とするにいささかの欺瞞も覚えるものではない」

という立派な反論が用意されているのである。

とにかく伊達巻きは陸。

従って伊達巻き派は、レンコン、ゴボウ、ニンジン、筍、しいたけ、里芋、クワイ、コンニャク、黒豆、と、数では明らかにカマボコ派を圧倒している。

しかし、悲しいかな伊達巻き派には大物がいない。どう見渡しても突出した人材がいないのである。

そこへいくと、カマボコ派は多士済々と言える。

イタワサは
酒のサカナに
なるが
・・・
伊達巻きは
どうも

カズノコあたりは立派に常務が務まるし、海老が部長、ブリ照りは次長、酢ダコは課長ということになろう。

「寅さん映画」では、タコは社長だが、ここではタコは課長どまりだ。

ひるがえって、伊達巻き派の人材はどうか。

里芋に常務が務まるだろうか。

ゴボウに部長が務まるだろうか。

このあたりが伊達巻き派の悩みの種なのだ。

カマボコ派の強みは、副社長みずからが、あちこちに出向いて営業活動を行っているところにある。

弁当関係、あるいは板ワサ関係、蕎麦うどん関係、笹カマ関係などなど、その活動範囲は広い。

そして、それぞれの分野で確固とした重要な地位をきずいている。

伊達巻きのほうはどうか。

副社長はほとんど出歩かない。

ふだんはどこかにひそんでいて、正月のときだけ出てくる。しかも派手に出てくる。

派手に出てきて、いかにも副社長然として堂々としている。

ただ、鍋焼きうどんのときだけ、なにかこう、うしろめたそうに顔を出している。

ビルの最上階にいるときは、確かに副社長にふさわしい風格があるが、鍋焼きうどんに出席しているときは、濡れそぼってオドオドしてみえる。

「あれは副社長のアルバイトだ」

という声が社内にある。

とは言え、伊達巻き派はカマボコ派を数で圧倒している。つまり、両者の力は拮抗しているのである。

二人の抗争が、いまだに決着がつかない原因はここにある。

最近は、国内ものだけに限らず、外国ものを招請して戦力の増強をはかる傾向にあるようだ。

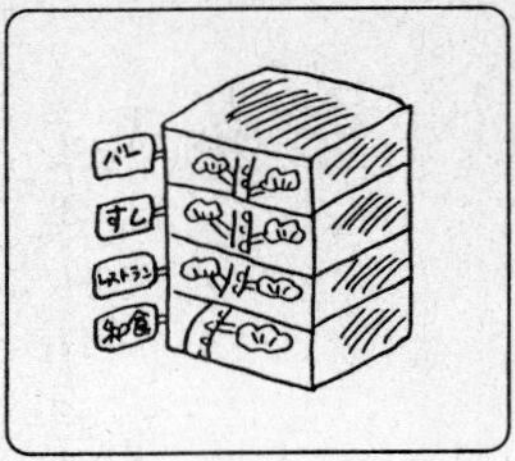

カマボコ派がロブスターを助っ人として補強すれば、伊達巻きはハムを招いて対抗する。

伊達巻き派がローストビーフに目をつければ、カマボコ派はスモークサーモンに声をかける。

アジア方面にも補強の目は向いて、カマボコ派がクラゲを招請すれば伊達巻き派はチャーシューを招き寄せる。

両者の抗争は、こうして果てしなく続いていく。

両派閥の領袖は、ことしも宴会を開いてそれぞれの勢力を誇示しあう。

一族郎党は全員出席して、ビルの全階に居流れる。

正月のおせちのお重は、すなわち両派閥の新年会なのである。

フォンデュの誓い

いまから二十年ほど前、サトウサンペイさんと、スイスを二人きりで旅行したことがあった。

スイスは、絵ハガキなどで見る風景よりも、実物のほうがもっときれいな国で、ぼくはいっぺんに好きになってしまった。

二人でフォンデュというものを食べてみようということになった。

ぼくはそれまで一度だけ、スイス料理を食べたことはあったが、フォンデュは未経験だった。

当時、東京にはスイス料理の店は一、二軒しかなく、そのうちの一軒に「スイスシャレー」という店があった。

たしか、四谷の先を左に曲がったところにあったような気がする。

そこでスイス料理を食べたのだが、食指が動かず、フォンデュには別の料理を食べたのだった。

本場のスイスでフォンデュを食べようということになって、サンペイさんとぼくはガイドブックで調べて一軒の店に入った。

もう二十年以上も前のことなので、どんな店だったかほとんど覚えてない。たしか、スイスを左に曲がったところにあったような気がする、という程度の記憶しかない。

その店で、二人は土鍋やアルコールランプや金串をあやつり、見よう見まねでチーズフォンデュを食べたのだが、トコロガコレガマズカッタ。

二人の結論は、

「チーズフォンデュというものはきわめてまずいものである」

ということになった。

翌日、登山電車に乗ってユングフラウという山に登った。

あたり一面雪景色の登山電車の中で、

「ショージ。もう二度とチーズフォンデュを食べるのはよそうな」

「ハイ」

という会話が交わされたのだった。

これが後世にまで語りつがれることになった、ユングフラウ山上の、いわゆる「白銀の誓い」である。

ナチスのロンメル将軍をアフリカの砂漠に追いつめたパットン将軍とブラッドリー少将の「熱砂の誓い」と対比されて、男の友情を物語るものとして、人々の口から口へといまだに語りつがれている。(どこで？)

あれから二十年。

世相うつり変わり、人々の味覚もまた変わっていった。チーズバーガー、ピザなどで、

チーズは日常的な食品となった。

某月某日、ぼくは新宿の高層ビル群の一つ、野村ビルの中にいた。

京王プラザで人と会って、どこかで食事をしようということになり、なんとなく野村ビルにやってきたのだった。なんとなく最上階まで行った。

なんという運命の皮肉であろうか。

野村ビルの最上階は「スイスシャレー」であった。

四谷からここに引っ越していたのだ。

運命に逆らうことはできなかった。

その場の成りゆきで、チーズフォンデュを食べることになった。

条約というものは不変のものではない。「白銀の誓い」は、相手方になんの事前通告もなく、いきなり破棄されることになった。

「スイスシャレー」は野村ビルの最上階の49階と50階をぶち抜いた造りになっている。

すなわち、本来あるべき49階の天井がなく、そこのところが空間になっていて、見上げると50階の天井が見える。すなわち天井が高い。

チーズフォンデュ、三千円。

丸い土鍋の中でチーズがフツフツと煮えており、カゴの中には二センチ角に切ったパン。

このパンを柄《え》の長い串で突きさし、チーズをたっぷりからめて食べる。

二十年ぶりのフォンデュである。

トコロガコレガウマカッタ。

サンペイさんには申し訳ないが、二十年も経てば人間の味覚も変化する。

餅状にモッチリと溶けたチーズが、パンの大小の気泡の一つ一つにもぐりこみ、かつ、パンに湿り気を与え、かつ温め、かつ、チーズの香りを与えている。

パンは、パリッと乾いているのがおいしいが、フレンチトーストの例をまつまでもなく、湿り気を与えたパンもまたおいしい。いわゆるグシャパン、グッチョリパンのおいしさですね。

その湿り気を与えるものが、ほかならぬ溶けたチーズであるわけだから、単に、パンにチーズをのせた味とはまた一味ちがったおいしさになる。

フォンデュというのは、本来「生肉を油に突っこんで空揚げするブールギニヨン」のことだそうだ。

作り方はこうだ。

鍋に白ワインを入れて沸かし、そこに薄く小さく切った二種類のチーズを入れる。エメンタールチーズとグリュイエルチーズだ。セメントでグリグリ、と覚えるとよい。木ベラでよくかきまわし、最後にキルシュ酒（ブランデーでもよい）で溶いたコーンスターチないしは片栗粉を入れて餅状になるまでよくかきまぜる。

もともとは「スイスの兵隊が食べるものがないときにカバンの底にあったチーズのかけらを鉄カブトで溶かして食べたもの」だそうで、要するにチーズを溶かしてパンにつけて食べればよい。

（サンペイさんに申しわけない）と思いつつフォンデュを食べながら、ふと天井を見上げて、ふと考えた。

こういうふうに二フロアをぶち抜いた場合、ヤチンのほうはどうなるのだろう。ヤチンというものは、借りた区域のすみずみにまで行きわたっているはずだ。本来あるべき49階分の天井の、あの空間のあのあたりにもヤチンは漂っているはずだ。あたり一面にヤチンが立ちこめている中で、フォンデュの夜は静かに更けていくのであった。

センベイを自作実演

蕎麦は打ちたてがおいしい。

天ぷらは揚げたてがおいしい。

ゴハンは炊きたてがおいしいし、削り節はけずりたてがおいしい。

サンマも焼き芋も焼きたての熱々《あつあつ》がおいしい。

センベイはどうか。

センベイも焼きたてがおいしそうだ。

焼きたてのセンベイは、醤油の香りが立って、手に持つと熱々で、少ししんなりして餅みたいなところもあって、きっとおいしいにちがいない。

そう言えば、熱いセンベイというものは食べたことがない。センベイというものはいつだって冷たいものだ。

いや、冷たいというわけではないが、冷えているのがふつうだ。

熱々のセンベイ……。うん、これはきっといけるにちがいない。昔のテレビのＣＭで、三《み》船《ふね》敏《とし》郎《ろう》さんが「ウーン、寝てみたい」と言う布団のＣＭがあった。

熱々のセンベイは、三船さんも「ウーン、食べてみたい」と言うにちがいない。（そう言えば三船さん、近ごろ見かけませんね）

テレビの旅番組などで、田舎のひなびたセンベイ屋で、バアチャンが細々とセンベイを焼いている場面が出てくることがある。

炭火の上のセンベイを、バアチャンがひっきりなしに引っくり返していて、最後にハケで醬油を裏表に塗り、「ひとつ食べてみなせ」なんて言ってレポーターに食べさせたりする。

レポーターは「アヒアヒ」なんて言いながら一口食べて「ウン、おいひい」なんて言ったりしている。うん、きっとおいひいにちがいない。

センベイの老舗「赤坂中央軒本店」。

ここで焼きたての熱々のセンベイを食べることができる。

ここは一階がセンベイ屋で二階が甘味処になっている。この二階のメニューは実に多彩で、お汁粉、ぜんざい、雑煮、おこわ、コーヒー、紅茶、煮こみうどん、そうめん、茶そば、ビール、ワイン、とあって、それらのメニューの冒頭に「実演手焼きせんべいとお茶（900円）」というのが出ている。

冒頭に出ているくらいだから、この店の主力商品というか、目玉メニューであるらしい。二階にあがる階段のところにも「手焼き職人しませんか」というプレートが出ている。

二階にあがって「実演手焼き……」を注文したのだが、なかなか「実演……」がやってこない。

炭火で焼くので、炭をおこしたりしているのかもしれない。

この店はTBS会館のまん前にあるので、有名な有名人があわただしく駆けこんできて、あわただしく打ち合わせをし、あわただしく出て行ったあと、こんどは、有名でないほうの有名人があわただしく駆けこんできて、ゆっくり打ち合わせをしたりしている。

あっちで煮こみうどんをすすっている人もいれば、こっちではコーヒーを、そっちではお汁粉、向こうではそうめん、その横では七輪でセンベイを焼いているという、物情騒然とした甘味処なのである。

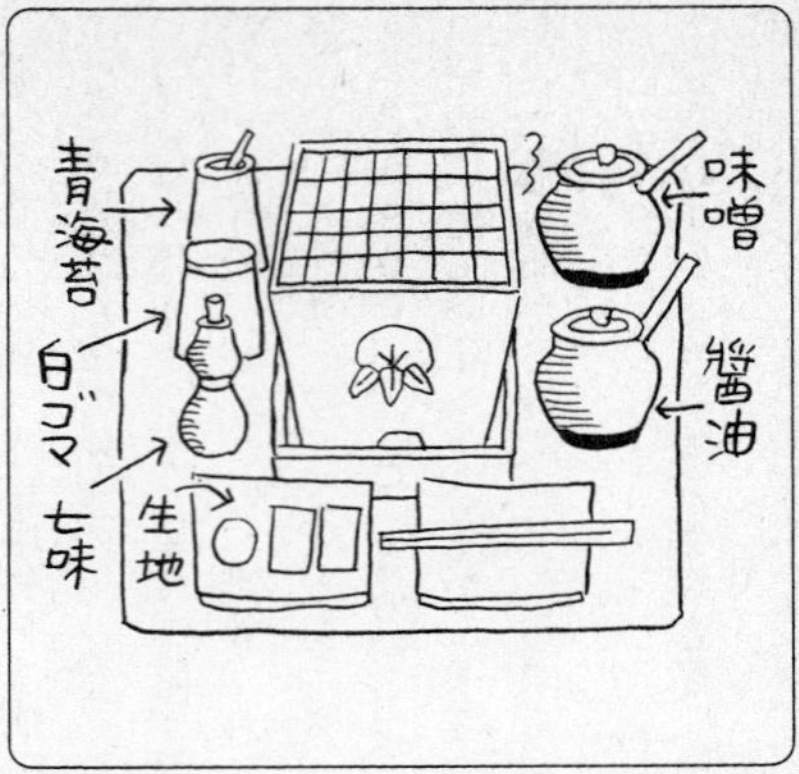

やっとやってきました、「実演……」が。
七輪に炭火。皿の上にセンベイの生地が三枚。醬油と味噌ダレの入った壺、青海苔、七味、白ゴマという「実演……」セット。
実演とあるので、当然、係の人が実演してくれるのかと思っていると、実演の手順を書いた紙を置いて行ってしまった。客が自分で実演するわけだ。

実演の演という字は、文字どおり演じることだ。どうもなんだかえらいことになってしまった。

「エー、それでは皆様。これより……」なんて言いながらセンベイを焼かなくてはならないのだろうか。

生まれて初めて、センベイの生地というものを間近に見る。厚さ一ミリ。大きさ焼き海苔よりやや大きめ。

「天日乾燥をしてある」とあるが、パキパキのペキペキ、表面つるつる、まるでプラスチックの破片のようだ。

これがはたしてゴツゴツ、ブクブクのセンベイに変身するのだろうか。

炭火が猛烈に熱い。顔が火照る。

ひっきりなしに引っくり返していないとたちまち黒く焦げる。

「魚は大名に焼かせろ。餅は貧乏人に焼かせろ」という言葉があるが、センベイはふつうの貧乏人ではダメで、極貧の人でないととても務まらない。

まっ白だった生地が、二分あたりから狐色に染まり始める。

まっ平らだった板が反《そ》り返り始め、ふくらみ始め、ある部分はぷっくりと、いかにもセンベイらしい気泡を含み、各部にヒビ割れが生じてくる。

三分たって全域が狐色になったところで、ハケで裏表に醤油ダレを塗る。

センベイは猛烈に熱く、手では持てないので箸で持つ。「タレを塗ったあとは絶対に火にかけてはならぬ」と説明書にあるので、そのまま口に入れる。

センベイを箸で食べる。

これも初体験である。

ハケで醤油を塗った時点で生地が少ししんなりするはず、と思っていたのだがこれが大違い。炭火の猛烈な輻射熱は醤油の水分など瞬時にふきとばしてしまうようだ。したがって焼きたてのセンベイはパキパキのサクサク。

熱せられた醤油の匂い。乾燥したお米が焦げる匂い。香ばしくておいしい。

が、想像したほどはおいしくない。

が、ふだん食べなれているセンベイとは別種の味わいがある。やはり、ほんのかすかに、まだ蒸発しきれていない熱い水分を感じる味わいだ。

味噌ダレのほうが珍しくておいしい。そう言えば、味噌味のセンベイというのも初体験だ。

それにしても暑い。センベイを焼くのがこんなにも暑いとはしらなかった。まわりの人々は、この無言のアヂアヂの実演劇を堪能してくださっただろうか。

二百円のカツカレー

　ＪＲ中央線の武蔵境の駅のそばに、二百円のカツカレーを出す店があるというので食べに行った。

　と、ここまでの文章を、何の驚きもなく、スッと読んでしまった人は、あとで反省を強いられることになる。

　そういう人は、日々の生活に追われていて、細やかな神経が失われている可能性がある。

　健全な感性を持ちあわせている人ならば、〝二百円のカツカレー〟の、〝二百円〟のところで、驚いて飛びあがるはずだ。

　定食屋のライスは二百円が普通だ。

　トンカツは、どんなに安い店でも三百円はするだろう。この二つだけを足してもすで

に五百円だ。カツカレーは、更にこの上にカレーをかけるわけだが、このカレーを百円に見積もっても六百円だ。

　カツカレーは六百円しなければならない宿命を背負っているのだ。

　そのカツカレーが二百円！

　ここに於いて、改めてことの重大さに気づき、この文章の冒頭の部分で驚かなかった人は深く反省するはずだ。

　二百円のカツカレーの内訳を、仮に同値段と考えると、ライスが66円、トンカツが66円、カレーが66円ということになる。

トンカツが、66円！

ここに於いて当該人は更に深く反省し、罪の大きさにうなだれて、思わず十字を切る人も出てくるはずだ。

この店は、JR中央線、武蔵境駅から歩いて数分のところにある。

武蔵境には、亜細亜大学、日本獣医畜産大学などがあり、この店はこれらの大学生の心のより所、財布のより所となっているらしい。いつ行っても、学生たちで一杯になっている。

もしここで店名を書いて、大勢の人が押しかけるようなことになると、彼らに大いに迷惑がかかることになる。

しかし店名を書かないで、「ホレみろ。二百円のカツカレーの店なんてあるわけないんだ」と言われるのもくやしい。

そこで、うんと遠まわしのヒントだけ書くことにする。

いま、世界で最も普及している言語がありますね。その言語の基本となる文字の配列群がある。

一般的にはア○○○○トと呼ばれている配列群です。その配列群の、最初から三番目の文字を頭文字とし、その下部のほうに「……食堂」とつけるとこの店の名前になる。

これ以上のことは、口がくさっても言えません。

この店に初めて行って、カツカレーを注文したときは勇気が要った。

店のメニューには、確かに「カツカレー200円」という貼り紙がある。

しかし、どうもなんだか不安なのである。もし「この貼り紙は冗談ですよ、冗談」と言われたらどうしよう。

学生ばかりの店だから、そういうこともありうるのだ。

「本気にしてくるバカがいるんだなあ」

と言われたらどうしよう。

テーブルにすわり、不安におびえながら、蚊の鳴くような声で、「カツカレー」と言ってみると、四十がらみの店主は「ハイ」と力強く答えてくれたのだった。

四人がけのテーブルが二、カウンターに七人。テーブルも内装も白っぽい、まるで喫茶店のような造りのきれいな店だ。

二百円のカレー到着。

正直に言うと、うんと期待して待っていると少し落胆するが、値段のことを考えて全然期待しないで待っているとすごく嬉しい、そういうカレーだ。

カツが小さい。コロッケよりやや大きめ、という感じだ。これが七ミリ幅ぐらいに切ってあって、その上からカレーがかかっている。

やや甘めのカレーの味がいい。これは期待以上だ。ゴハンがおいしい。これは期待をはるかに上まわっている。

福神漬けも一杯のっかっている。

カツが小さい。これだけが唯一の、やや期待はずれだ。

しかし、この店のカツに文句をつける人がいたら、ぼくは断然抗議する。

カツが小さくて物足りない、と言うなら、もう一皿食べればいい。もう一皿食べても四百円だ。それでもまだ足りない、と言うなら、更にもう一皿食べればいい。それでも六百円だ。

ここに於いて、改めて〝二百円〟の威力に、誰もがもう一度驚くはずだ。

食べ終わってお勘定を払うとき、もう一度不安になった。本当に二百円でいいのだろうか。キャバレーなどでは「二千円ポッキリでスンナリOK」と書いてあっても、いざお勘定となるとスンナリOKとはいかないのが常識だ。

「いまどきカツカレーを食べて、百円玉二個で済むわけねーだろ」と言われたらどうし

食べなくても見るだけ
でも一見の価値が
ある「丘ライス」

よう。百円玉はたくさん持っていたのだが千円札を出すことにした。結果は二百円ポッキリでスンナリＯＫであった。

この店は、本当はカツカレーより定食が主体の店なのだ。アジフライ定食４５０円、鶏空揚げ定食６５０円などいろいろある。

この店が気に入って、その後何回か通ったのだが、この店の定食のライスがすごい。量がすごい。

皿の上に丘のように盛りあがっている。いっぺん山のように盛りあげて、てっぺんをシャモジで押さえるので丘のようになる。御飯茶わんで四杯と言いたいところだが六杯はある。

食べても食べてもゴハン。掘っても掘ってもゴハン。大抵の人は、この店の定食を食べると、おなかが一杯で目が回ってフラフラになる。

この店のメニューには「シオカラ２００円」というものもある。

シオカラとカツカレーが同じ値段なのだ。同じ二百円なのだ。

これまでの人生で身につけた食べ物屋に於ける価格体系が、根底からゆらいでわけがわからなくなり、もう一度フラフラになる。

ナタ・デ・ココの真実

人間は、毎日毎日同じ仕事をしていると、たまには違う仕事をしたくなる。

歯だって同じだ。

毎日毎日、同じようなものばかり噛んでいると、たまには違ったものを噛みたくなる。

いままで一度も噛んだことのないものを噛んでみたらどんな気がするか。

歯にだってそのぐらいの好奇心はある。歯は噛むのが商売だから、商売上、いろんなものを噛んでみておく必要もある。

そこでナタ・デ・ココです。

ココです、ナタ・デ・ココがもてはやされるようになった原因は。

ナタ・デ・ココを噛んでみるとわかるが、実に不思議な歯ざわりだ。

日本人がこれまで、一度も経験したことのない感触で、大抵の人は「オヤ？」と思う。

一度はやってみたい
ナタ・デ・ココの丸かじり
口の中一杯の
ナタ・デ・ココ

「ナンダコレハ」と思う。

これが、ココナツミルクからできたものとは到底思えない。

作り方は実に簡単で、ココナツミルクにナタ菌というものを加え、砂糖と水と酢酸を加えておくと、一週間ぐらいでできるという。

ココナツミルクという液体が、熱も加えないのにこんなに硬いものになるのが不思議だ。

嚙みしめると、歯と歯の間でグニャリとゆがみ、きしみ、歯にしがみついてきてつぶれる。

最初の「オヤ？」から、つぶれて液体と化すまでの間が短い。

最初の「オヤ？」のとき、「これは相当手間ヒマかかるぞ」と思わせておいて、アッというまに、つぶれて溶けてなくなる。

その引き際がいい。

メデタシ、メデタシ、というメデタシ感がある。

その感触は、硬いコンニャクのようであり、グミのようであり、イカ刺しのようであり、うんと硬いカンテンのようであり、求肥《ぎゅうひ》のようでもある。

思わず噛んでしまった頰の肉のようでもあり、思わず噛んでしまった唇のようでもある。

そういう意味の、シマッタ感もある。

いずれにしても、歯にとって、この仕事は趣味的な仕事と言える。

歯は、毎日毎日、実用の仕事ばかりしている。

歯にとって、実用でない仕事など一つもない。

「じゃあ、ガムはどうなんだ。実用じゃないじゃないか」

と言うかもしれない。

しかし、あれだって、もし歯が、

「これは実用の仕事じゃないから噛まない」

と言ったらどうなるか。ガムはいつまでたってもロの中に原形のまま残り、いつまでたってもことは解決しない。

歯は、いやいやガムを噛んでいるのだ。

ガムを噛んでいるとき、そういう感じがしませんか。

そこへいくと、歯はナタ・デ・ココを喜々として噛んでいる様子がうかがえる。

「これを待っていたんですよ」

という感じがある。

話は突然変わるが、結婚式の披露宴の洋食のフルコースのとき、スープが出てきますね。

何にも入ってないスープ。

あれをスプーンですくって飲む。

すくってもすくってもスープ。飲んでも飲んでもスープ。

しかもスプーンですくえるのは、猫が水を舌ですくうほどの量しかない。

イライラして、スープを飲み終え、ナプキンで口を拭っている人の目は大抵、三角になっていて、「ハイッ、次ッ」と、あたりをねめまわしている場合が多い。

このスープの中に、なんか一つ、小さく歯にあたるものが欲しい。

歯としては、何か噛んでやりたい、何か来ないか、と待っているのに来ないからイライラするのだ。

「ナタ・デ・ココ入りフルーツ」の中のナタ・デ・ココは、まさにそういう思いを一気に払拭《ふっしょく》してくれる。

パイナップルとかグレープフルーツなど、軟弱なものばかりが続く中で、ふと歯にあたる強力な抵抗感。

「これ、これ、これを待っていたのです」

とばかりに、歯は嬉しがってナタ・デ・ココに取りつく。骨に取りつく犬のように取りつく。

もし「ナタ・デ・ココ入りフルーツ」に、ナタ・デ・ココが入ってなかったらどうなるか。

同様のことはフルーツミツマメにも言える。フルーツミツマメに、求肥や赤エンドウ豆が入っていなかったらどうなるか。

最初から最後まで、軟弱なものばかりがダラダラと続き、そのままダラダラと終わってしまう。

まるで〝いつまでたっても事件の起きない水戸黄門〟だ。

〃何にも事件が起きないまま終わってしまう水戸黄門〃だ。

「ナタ・デ・ココ入りフルーツ」の中のナタ・デ・ココは、十分事件に値する。

しかもこの仕事は、歯にとって実用の仕事でなく、趣味の仕事だから一層こたえられない。

歯の趣味仕事は、ナタ・デ・ココばかりではない。

グミ、カンテン、求肥、タピオカ、アンニン豆腐などもそのたぐいだ。

トコロ天、コンニャクもそうだし、イカ刺しもその領域に入れることができる。歯ごたえから言うと、この一派の筆頭はナタ・デ・ココということになる。

ナタ・デ・ココは、突然日本へやってきて、たちまち一派のボスになったのだ。台湾のマフィアが、突然、新宿歌舞伎町を制覇したようなものだ。

ナタ・デ・ココに熱を加えたらどうなるか。

溶ける、と思うかもしれないがビクともしない。

つまり、おしるこに入れられる。

甘酒にも入れられる。

味噌汁にも入れられる。

ナタ・デ・ココの前途は洋々としている。

立ち食い五百円ステーキ

ステーキを食べてきました。今回はその報告です。

こう書くと、

「そうか、いい思いをしてきたんだナ」

と思う人もいるにちがいない。

「そうか、自慢話を書くつもりだナ」

と身構える人もいるかもしれない。

「肉は松阪牛のサーロインで二百五十グラム。焼き加減はミディアム・レアで備長炭の炭火焼き。ジューシーなお肉が口の中にジュワーッとひろがって、とか書くつもりだナ」

と、ひがむ人もいるはずだ。

とにかく事実だけを書いていくことにする。
肉は、松阪牛でないことだけは確かだが出身地不明。量は二百五十グラムではなく百グラム。肉の質はサーロインでないことだけは確かだが、これも身元不明。火力は備長炭ではなく東京ガス。網焼きではなく鉄皿焼き。
焼き加減は、レアのときもあったし、ミディアムのときもあったし、ウェルダンのときもあった。
と、ことごとく予想を裏切ることになるのだが、最も予想を超えているのは、〝ステーキを立って食べた〟という点にあると思う。

「なしてステーキを立って食べただかね？」

と訊かれれば、

「椅子がねーだで立って食っただよ」

と答えるしかない。

店の場所は、ＪＲの神田駅の西口から歩いて数分のビジネス街。

首都圏を中心に、低価格のステーキ店チェーンを展開するＳという会社が今年の一月から「立ち食いのステーキ店」を開店したのだ。

立ち食いだからステーキが五百円。

ライスが百五十円。六百五十円でステーキランチが食べられる。

ビジネス街なのに、十一時半には店のまわりは人山の黒だかり。

じゃなかった、黒山の人だかり。

店内は、そう、あれです、株式の場立ちの人々の様相。

場立ちの人々が場立ちをしながらメシを食ってる、そういう雰囲気。

気の弱い人は、その雰囲気におそれをなして、ちょっとのぞいただけで立ち去って行くが、闘争心のある人は店内に突入していく。

牛丼屋と同様のつくりの長方形のカウンターに、二十二個のガスコンロが埋めこんである。すなわち定員二十二。

鉄皿の上にステーキとモヤシ。

肉は七切れに切ってあって、これを自分で焼き、焼き肉のタレ風のタレで調味しながら立って食べる。

梅干しの小鉢が置いてあってこれは無料。ステーキに梅干し。

なにしろステーキを立って食べるのだから、タブーなどというものは存在しないのだ。

カウンターの二十二名のうしろに、次の人が立って待つ。店は狭いから、うしろには二人しか立てない。

あとは店の外へと行列が続く。

店内は殺気立っているのだが、そこはそれ、ビジネス街のエリートの集団だから態度にはそれを少しも表さず、眉間のところにだけ十分な殺気をただよわせて険しく立っている。

外の行列から店内に入れた人は、どの人のうしろに立つか、それが問題となる。スーパーのレジの行列を選ぶときのような選球眼が要求される。

競馬のパドックにおける、馬の下見的選球眼も必要だ。

何よりも先行ぶっちぎり型を選ばなければならない。モタモタ停滞型は避けなければならない。

いま立って食ってる奴の、馬体の大きさ、毛づや、入れ込み具合、たけり具合なども見なければならない。気合はどうか、エサの食いつきはどうか。ノド鳴りはあるか。尾の振り方、胸の反り方、足のふんばりはどうか。蹴りぐせはないか。肛門のしまり具合はどうか。脱糞のおそれはないか。そういう〝仕上がり〟をよく見てからうしろに立つ。

立ったら、うしろから肩越しに、無言の督励、無言の圧力をかける。

「スピード落とすなよ」

「味わったりするなよ」

ぼくが選んだ馬は、着実なスピードで、食いつきもよく、一気にぶっちぎってゴールに駆けこんでくれた。

入れ替わってコンロの前に立ったとたん、ヒシヒシと無言の圧力をうしろから肩越しに感じる。何しろ、一歩前に進み出たとたん、うしろに〝専属の人〟を二名かかえこんでしまったことになるのだ。

コンロの前に立ってまず驚くのは、すぐ目の前にズラリと立ちはだかって、モクモクとステーキを食べている人々の群れだ。

コートを着たまま、立ったまま、左手にメシの丼を持ち、右手でコンロの火を調節し、肉にソースをかけ、ひっくり返し、モヤシを平らにならしたりしている。確かに〝ステーキのお食事をしている〟のだが、見ようによっては〝自炊をしている〟というふうにも見える。〝神田地区サラリーマン自炊大会〟のようにも見える。

肉の質も味も、五百円という値段から考えれば上々と言える。

ただ、うしろから専属の人が、肩越しに無言の圧力をかけてくるのでゆっくり味わうことはできない。

専属の人がうしろで監視しているので、たえまなく箸と口を動かしていなければならないのでアゴが疲れる。

この店にはステーキ丼（六百円）というものもあり、これはコンロが要らない。そのため、サラリーマンで言うところの〝机〟がないわけで、なんとなく〝そのへん〟で、なんとなくうしろめたく食べている。

ステーキが立ち食い、ということになると、そのうちフランス料理の立ち食いも出てくるかもしれない。

懐石料理だってあぶない。〝回転立ち食い懐石〟なんてのもできてくるかもしれない。

〝立ち食い流しおでん〟というのもできる。目の前を、流しソーメンのように、おでんの群れが流れていく。

ワーキングダックたちよ

いま、わたくしの目の前に一袋のビニール袋が置かれている。袋の中には一羽の鳥の死体が詰めこまれてある。

袋は真空パックになっていて、宅配便で福島から送られてきたものだ。

鳥の種類は合鴨《あいがも》だ。

まん中から切り開かれ、左右対称の形で平べったくなっている。

わたくしはこれから、この一羽の合鴨の数奇な運命について語らねばならない。

「合鴨農法」というものが、近年、日本のあちこちで、少しずつ普及してきているという。

合鴨のヒナを、苗の段階の田んぼの中に放し飼いにする。合鴨は、田んぼの中を泳ぎ

ブロイラーの鶏は皮と脂と肉がバラバラの別物で味も別物だが野性の鳥は、皮と脂と肉が一体となっており、更に内臓(モツ)まで一体となっております
つまり肉にもモツの味がするのです
ハイ

まわって雑草を食べ、虫を食べる。

合鴨は、真鴨とアヒルをかけ合わせたものだ。

いわゆる〝矢鴨騒動〟のとき、人々は鴨に注目した。その歩き方にも注目したはずだ。

合鴨は、あの歩き方に、更にアヒルの歩き方が加わる。すなわち、尻の振り方がいっそう激しくなる。

尻を振りつつ、水田の中を泳ぎまわる。すなわち稲に振動を与え、稲の根の張りをよくする。

足で泥田を掻きまわす。

すなわち酸素を水中に送り込む。

合鴨は雑食だから、雑草も食べれば昆虫も食べる。すなわち、農家の人は草取りから解放される。除草剤を散布する必要がない。

害虫を食べてくれるから、農薬を撒く必要がない。すなわち無農薬の米を作ることができる。

合鴨はアヒルに近いから飛び立たない。すなわち、田んぼのまわりを簡単な柵で囲むだけで逃げ出さない。

といったように、合鴨は稲作にうってつけの生き物だったのである。まことにもって至れり尽くせりで、どんな注文にもことごとく応じてくれるのだ。

〝人間の稲作に献身する合鴨〟

と、ここまでは美談そのものだ。昔だったら修身の教科書に載ったはずだ。

ところが合鴨はおいしい。これが悲劇の始まりだ。

鶏は鶏舎で飼われているものより、放し飼いのほうがおいしい。地鶏として珍重される。合鴨だって放し飼いのほうがおいしい。

これが悲劇の色をいっそう濃くしたのである。

六月……。

合鴨のヒナは、いっせいに水田の中に放たれる。

わたくしは、この光景をテレビで見た。ヒヨコの合鴨は、ピーピー鳴きながら、にぎやかに、嬉しそうに、かわいらしく尻を振り振り水田の中に突入していった。

稲をなぎ倒さんばかりの勢いで水田の中に入っていくと、ただちに仕事にとりかかるのであった。わき目もふらぬその仕事ぶりは、彼らを雇った人たちを十分満足させるものがあった。

幼いながらも、自分に与えられた仕事を、しっかり自覚している様子が健気だった。『ワーキング・ガール』という名の映画があったが、彼らは「ワーキングダック」なのであった。

むろん、雑草や昆虫だけでは彼らの胃袋は満たされないので、餌が与えられる。

福島の青い空。モクモクとわきあがる白い入道雲。その雲を映して青々とひろがる水田。その緑の稲の間を泳ぎまわる合鴨たち。

夏の日の楽しい思い出……。

草いきれの中で追いまわした水すまし、ゲンゴロウ。おいしかった昆虫たち。働いたあとの、アゼ道での身づくろい。仲間たちとの語らい。

十月……。

美談は終わった。稲刈りと共に終わった。美談は、人間のほうから一方的に打ち切られた。

献身的に働いた合鴨たちを、次の年の稲作のときに再雇用することはできないのか。

次の年の稲作まで八カ月ある。その間の餌代が馬鹿にならない。採算割れだけは何としても避けたい。

しかも合鴨はおいしい。これを売れば収入になる。

美談は、醜聞に近くなってきた。

実際の話、ヒナの仕入れ代、餌代、柵などの資材費などを入れると、実費だけで一羽二千円以上かかるようだ。

美談は、急にお金の話になってきた。

いま、わたくしは、ビニール袋を切り裂いて、中の合鴨を取り出したところだ。

これから、鴨南ばん、串焼き、鴨鍋などにして食べるつもりだ。

ササミが二本入っているので、これはワサビ醤油で鳥ワサにしよう。

まず鳥ワサ。

まん中のスジを切りとってさっと湯がき、すぐに冷やしてすぐ食べる。

ササミの色が濃い。アズキ色だ。色も濃いが味も濃い。嚙みごたえがあり野性の味がする。うまい。

美談はどうなったのか。

献身的に働いた合鴨を不憫だと思わないのか。

合鴨に限らず、わたくしたちは牛や鶏や羊も食べる。動物の命を、日夜いただいている身の上だ。

合鴨もこうなった以上、食べ尽くしてあげることが供養になるのだ。

と、強引に我田引水、私利私欲の理論を展開して次は串焼き。

胸肉を小さく切って、ネギと交互に串に刺し、塩をふって焼く。

ひと嚙みごとに、肉の層の間から、肉汁と血の味がにじみ出てくる。血も肉汁も獣くさい味がする。

肉に、かたく薄くへばりついている脂が甘い。口の中に野性が立ちこめる。ネギにも、鴨の脂と匂いがうつっていてうまい。

さて、次は鴨南ばんといいこう。

生卵かけゴハンの恍惚

いつものように卵かけゴハンを食べようと思い、卵をテーブルのフチにぶつけようとして、ふと考えました。

いつものようにではなく食べてみようか……。

いつものようだと、卵をカチンと割って小鉢にあける。醬油をたらす。かきまわす。とりあえず、半分だけゴハンの上にかける。

と、こうなるわけである。

黄身と白身を分けて、〝黄身だけかけゴハン〟というもので食べてみたらどうだろう。〝黄身だけかけゴハン〟を食べることになれば、当然〝白身だけかけゴハン〟も食べることになる。

〝黄身だけかけゴハン〟は大体想像がつくが、〝白身だけかけゴハン〟はどんな味にな

るのだろうか。

そう思ったとたん、急にいろいろと忙しくなった。

まず小鉢を二つ用意して、卵をテーブルのフチにカチンと当てる。

話はちょっと停滞しますが、卵を割ろうとして何かに当てるとき、なにかこう謙虚な気持ちになりませんか。

もしかしたら失敗するかもしれない。

もしかしたら、自分はダメな人間かもしれない。

おごりたかぶった人がいたら、とりあえず卵を十個ほど割らせてみるといいかもしれませんね。

とてもいい修行になる。

エート、とにかく生卵を割る。

割って、黄身と白身をそれぞれの小鉢にあける。それぞれに醤油をたらしてかき混ぜる。

とりあえず、黄身のほうからいってみましょうか。

〝黄身だけかけゴハン〟は、びっくりするほど粘りが出る。

ゴハンが熱いので、口の中がネットリ、ほっこり。

なにしろ黄身だけなので、卵のコクが濃密で、そこに粘りが加わって、ゴハンと黄身が上アゴにひっつき、舌にひっつき、口の中はニッチャコ、ニッチャコとなって、目はなんとなく上目づかいになって、口はO《オー》の字になったりへの字になったり、これはなんともこたえられまへんな、という心境になり、はたから見たら、とても利口には見えまへんな。

ここで、ふと思いついた。

ここにバターを加えたらどうか。

急いでバターを溶かして残りのゴハンに加えてみる。

相当しつこいが、相当おいしい。

早口言葉
キミダケカケナマ
タマゴハン
シロミダケカケ
ナマタマゴゴハン

黄身のコクと、ゴハンの甘味と、バターの香りと、醤油の味と心地よい粘りとで陶然となり、やめられまへんな、の心境になる。これはもう、ほとんど洋食の世界だ。

〝白身だけかけゴハン〟のほうはどうか。

これが意外によかった。

ゆるゆるとして淡淡。

悠悠として飄然。

かすかな卵の香りの中から、醤油の味が画然と浮き出てくる。

ラーメンでたとえると、塩ラーメンの味わい。

ゴハンでたとえると、お茶漬けの感触。

醤油かけゴハンというものを久しく食べてないが、あの醤油かけゴハンを薄い卵の味で割った、というような味わい。こっちは完全な和食の世界だ。

黄身が洋食で、白身が和食。

こうなってくると、黄身白身合体の味、全卵の味を改めてためしてみたくなる。

そこで改めて卵をもう一個。別の小鉢に割り入れる。

醬油をたらしてかき混ぜる。

とりあえず、この半分だけをゴハンにかけて食べることにする。

話はまたしても停滞しますが、この〝半分だけゴハンにかけて〟食べようとして成功したことありますか。

半分だけかけようとすると、必ず半分以上が、ニョロリと出ていってしまう。

あわてて箸で押さえて「マテマテ」なんて言っても、箸と箸の間からニョロニョロと、半分以上どころか大半が出ていってしまう。

人類は、川の水を押しとどめてダムを作ることに成功した。

しかし、人類四千年の歴史と知恵をもってしても、〝生卵が半分以上ニョロニョロと出て行ってしまう〟という現象は、いまだに押しとどめられないようだ。

この現象に対処する方法は一つだけある。半分でとどめようと思わないことだ。「出ていくものは出ていけ」の心境になることだ。

このようにして、とにもかくにもゴハンの上に全卵の卵がかかった。

これを、ゆるくかきまわして食べてみる。黄身、白身、醬油、ゴハンが、ゆるく混じりあっている。

ずるずるとかきこんでみる。

しかし、あれですね。

こうやって、黄身だけかけゴハンと白身だけかけゴハンを食べたあとでは、全卵の卵かけゴハンは、単に黄身と白身が混じりあった味にしかすぎませんね。(あたりまえか)

生卵かけゴハンは、大体において朝食で食べることが多いようだ。

朝食に、納豆や海苔といっしょに出てくる。

それでなくてもせわしない朝食の前に「卵を割って醤油をかけてかきまわす」という作業が加わることになる。

当然、せわしなくかきまわすことになる。

牛丼の吉野家では、「朝定食　納豆、生卵、海苔　３７０円」というものを朝の六時から十時までやっていて、これが大いにうけている。

朝八時。吉野家のカウンターでは、コの字形のカウンターをとり囲んだ出勤前の人々が、いっせいに、せわしなく納豆をかきまわし、生卵をかきまわしている。

よりによって朝の時間帯に、〝かきまわしものの両巨頭〟が顔をそろえてしまったのだ。

福神漬けの鉈豆の謎

あなたは次の二つのうち、どちらのタイプの人間だろうか。

それによって、あなたの人間性が大きく問われることになる。
①福神漬けの中の鉈豆《なたまめ》を気にしたことがある。
②気にしたことがない。
福神漬けの中身は、大根、茄子《なす》、蕪《かぶ》、瓜《うり》、紫蘇《しそ》、蓮根、鉈豆の七種類ということに決まっているそうだ。

誰が決めたかというと、野田清右衛門《せいえもん》という人が決めたのだ。

野田清右衛門は福神漬けを考案した人だ。野菜七種より成り立っていることから七福神にあやかって福神漬けという名前になったと言われている。

われわれは、ふだん福神漬けを食べているとき、口の中の一つ一つを、

鉈豆ばかり
掘り出しては
いけないと思いつつ
ついつい
福神

「いま嚙んだのは大根だナ」

「いま嚙んだのは瓜だナ」

とか、そういうことを何となく感じながら味わっているものだ。

こまかく嚙み分けている、という意味ではなく、大まかに感じながら食べている。

そういう中で、どうも何だか、歯ざわりが違うもの、嚙み心地が素直でないものが一つだけある。

嚙んではいけないものを嚙んでしまったような、たとえば、シナチクのうんと硬い節のところを嚙んでしまったような、異質の嚙み心地のものに出くわす。

それが鉈豆である。

大抵の人はそのことを知っている。

それが妙な形をして、豆であるらしいことはわかるが、一体どういう豆なのか、妙に気になるものである。

それが①の人である。
②の人というのは、福神漬けがどんなものから成り立っているのかさえ気にならない。
いま口の中で嚙みしめているのは、

「フクジンヅケッ」

としか考えない。

口の中で、歯ざわりが違うものがあっても、それも、

「フクジンヅケッ」

としか考えない。

それが鉈豆というものですよ、と教えても、

「だからフクジンヅケッ」

と意に介さない。

こういう人は、金儲けには向いているかもしれないが、一晩とくと話し合って面白い

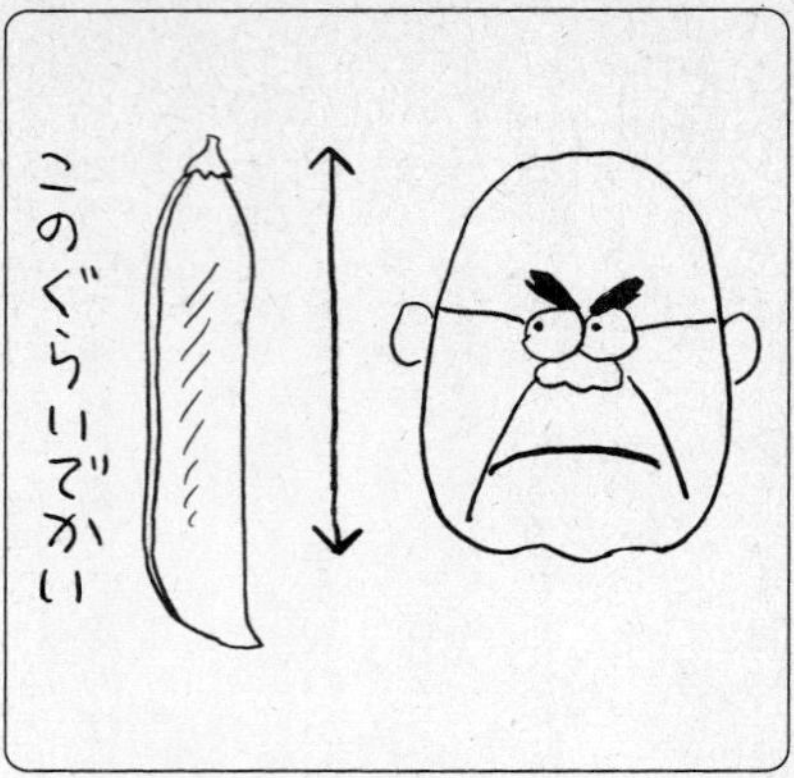

という人物でないことだけは確かだ。

福神漬けは、いまやあまりにも身近な食品ではあるが、その歴史は浅い。

酒悦の十五代野田清右衛門という人が、明治初年から十年かけて、あれこれ工夫の結果つくりあげたものだそうだ。

大根、茄子、蕪、瓜、紫蘇、蓮根と、ここまでは、ありふれたものばかりで、選考過程に異論の余地はないが、鉈豆というところで突然様相が一変する。

なぜ突然鉈豆か。

そもそも鉈豆とは何か。

あなたは鉈豆の全身像を一度でも見たことがあるか。

鉈豆を八百屋の店先で見たことがあるか。

鉈豆を作っている、という人を知っているか。

鉈豆市況というものを聞いたことがあるか。

鉈豆を使った料理番組を見たことがあるか。

鉈豆の豆を食べたことがあるか。

鉈豆研究家というのはいるのか。

鉈豆ファンクラブというのはあるのか。

福神漬けの大根、茄子、蕪という一連の流れを考えると、当然入っていなければならない胡瓜《きゅうり》が入っていない。

七種、という制約のために、やむなくはじき出されたのであろうか。

あるいは、何らかの政治的な取引があって、胡瓜と鉈豆が入れ替えられたということも考えられる。

クラス仲間が全員進級したのに、一人だけ落第したような心境を、胡瓜は当然味わったにちがいない。

胡瓜の無念は想像するに余りある。

謎の政治的な動きを示した鉈豆の正体とは何か。

その正体は、『大辞林』によって簡単に明かされることになる。

【鉈豆・刀豆】熱帯アジア原産で古くから栽培。莢《さや》は扁平刀状で長さ二十五センチに達し、豆は大きく暗紫紅色。若い莢は漬物とし、種も食用。

長さ二十五センチの莢とはただごとではない。

そんなに大きな莢で、しかもその全域が食べられ、豆も食べられるのに、われわれは

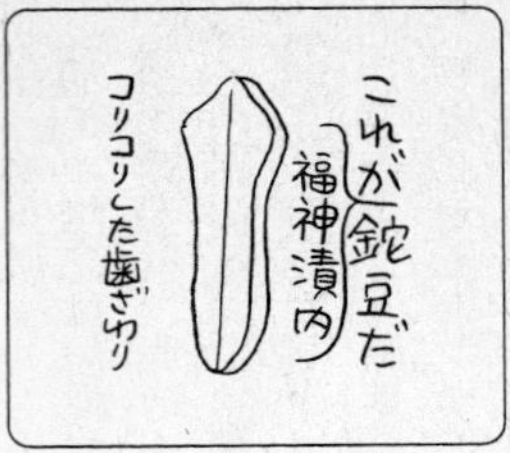
これが鉈豆だ
福神漬内
コリコリした歯ざわり

その姿をどこにも見たことがない。

見たことがないのに、福神漬けのビンの中にはちゃんと入っていて、われわれは何の不思議もなくそれをちゃんと食べている。

ここに何か大きな疑惑がありはしないか。

日本国民は、これまであまりに鉈豆について知らなさすぎた。

関心がなさすぎた。

政府は、ただちに鉈豆調査委員会を発足させ、鉈豆国会を開き、その実態を国民に知らせるべきではないのか。

と、疑惑の追及は政府のほうにまかせるとして、ぼくのほうは、胡瓜の怨念を晴らしてやることに力をそそぐことにした。

遺恨なり百十六年。

明治十年以来の胡瓜の怨念は、どうやったら晴らすことができるのだろうか。

実にもう簡単、いますぐ、胡瓜のきざんだのを福神漬けの中に混ぜてやればよい。

胡瓜は小口にきざんで塩を軽くふり、少ししんなりさせてから混ぜる。

これがなかなかいけます。

ついでに茗荷《みょうが》をきざんで入れると、これもいい。ピーマンOK。生姜《しょうが》よし。ゴハンのおかずによし、酒のサカナによし、で、とりあえず胡瓜の怨念のほうは、アッというまに晴らされたのであった。

簡単チャーシューの作り方

ぼくはいま、ガリレオ・ガリレイの苦悩を味わっている。

相対性理論を発表する前のアルバート・アインシュタインのおののき、と言ってもいいかもしれない。

自分の信念に少しの揺るぎもないが、もしかしたら信じてもらえないかもしれない、というおののき。

真理は一つなのだが、真理が必ずしも世間の理解を得られるものでないことは歴史が証明している。

ぼくがこれから世間に問おうとしている真理とは何か。

それは〝醬油で煮ただけのチャーシューはおいしい〟ということである。

「そんなバカな」というのが、世間一般の反応であろう。

地動説も最初そう言われた。

相対性理論もそう言われた。

しかし真理であった。

しかし、真理として定着するまでに、長い時間がかかった。

〃醤油で煮ただけのチャーシューはおいしい〃も、真理として定着するまでに長い時間がかかるにちがいない。

チャーシューの作り方は店によってさまざまだ。

多くのラーメン屋で使っているのは、本格的に炉で

焼いたりするのではなく、煮て作る煮豚である。テレビのラーメン番組などに出てくるラーメン屋のオヤジは、

「ウチのチャーシューは、豚肉のカタマリに秘伝のタレと秘伝の香辛料を秘伝の技でもみこみ、秘伝の時間寝かせたあと、秘伝のスープを秘伝の温度にわかして秘伝の回数ひっくり返しながら秘伝の時間煮ます」

などと秘伝顔で秘伝げにしゃべっていたりする。そういう秘伝チャーシューと、これからぼくが発表するチャーシューは同等なのである。

〝醬油で煮ただけのチャーシュー〟と書いたが、正確には醬油では煮ない。

まず豚肉のブロックを買ってきて茹でる。茹であがったら、醬油につけこむ。これだけのことだ。これ以外のことは何にもしない。

これは是非、単身赴任のおとうさんに試していただきたい。

しかし、真理が必ずしも世間の理解を得られるものでない、ということは前にも書いた。

「そんなものがね、秘伝チャーシューに匹敵するはずがないじゃないか」

という声が、ここで全国各地からドッとあがったはずだ。

自分でも不思議なのだが、この方法で何回作っても、(茹でて醬油につけただけ)とは思えない味になるのだ。(茹でて醬油につけた)以外のことは一切してないのに、(そ

れ以外のことを何かした）ような味になるのだ。

本当なのだ。ウソじゃないのだ。真実なのだ。

しかし、料理のドシロートのぼくがいくら声を大にして叫んでも、誰も信じてくれないにちがいない。これをもし、周富徳先生が提唱したのであれば、

「ナルホド。そういうものかもしれない」

という声が全国からドッとあがるにちがいない。

「ヨシ、いっちょう作ってみっか」

と、単身赴任でないおとうさんも、台所に駆けこむにちがいない。

ただ、これに近い作り方をしている店もあることはあるのだ。

目黒の「田丸」。ここのチャーシューは、「他のものは一切入れず生醤油で煮るだけ」とある。このほうがラーメンには絶対合う、と店主は雑誌で述べている。

では、スーパーに行って豚肉を買ってくることから始めましょう。

三枚肉でも肩ロースでも、モモ肉でも何でもいいから四百グラムぐらいのブロックを買ってくる。

鍋に湯をわかす。わいたらブロックを入れる。

四百グラムぐらいのカタマリで、大体三十分で火が通る。

金串で刺してゆっくり引き抜き、赤い汁が出てこなければ火が通っている。これを生醬油につけこむわけだが、このときびっくりするほど醬油が要る。

ぼくはもともと気が大きいほうではないが、大量に醬油を使わなければならない料理のときは、心臓がドキドキする。

鍋に醬油をドブドブと注いで、醬油ビンの醬油がドブドブ減っていくのを見ていると、もったいなくてもったいなくてハラハラドキドキしてきて、それでもまだドブドブ注がなければならないときなど、このまま死んでしまいたい、と思うほど絶望的な気持ちになる。

醬油がドブドブ減っていくのは死ぬほどつらい。

ドブドブを防ぐ方法が一つだけある。醬油やミネラルウオーターなどのペットボトルをハサミで切って使う。カタマリの太さに合った1ℓ、1.5ℓなどのペットボトルにスポリと入れ、そのスキマに醬油を注ぎこむ。

もっとも、この醬油は、チャーシューをつけこんだあと、また醬油として使えるわけ

ではあるが……。

醤油につけこむとき、誰もが迷う。

せっかく作るのだから、醤油に生姜を少し入れてみてはどうか。ネギはどうか。紹興酒はどうか。スープの素を少々はどうか。ニンニクひとかけ何とか頼む。ハチミツ一滴見のがしてやってくれ……などなど。

一切ダメ。ぜえーったいダメ。

しょっぱさ加減は引き上げる時間で調節する。四百グラムのカタマリで二十分から三十分。

二十分ぐらいたったら一度引きあげて味をみる。このときハジッコを切って味見してはダメで、ハジッコはまん中より必ずしょっぱい。

堂々と勇気をもってどまん中を切って味見をする。

さぞかししょっぱいチャーシューにちがいないとお思いでしょうが、これが不思議にとがった味にならず、醤油がマイルドな味になっているのに驚くはずだ。

新装羽田空港のラーメンは

いわゆる空港というところは何をするところかというと、〝待つ〟ところなんですね。

とにかく〝待つ〟。

とりあえず〝待つ〟。

まず〝待つ〟。

空港のロビーにたむろしている人は何をしているかというと、その九割は待っている人だ。

空港では、（ロビーのソファにすわって一時間待つ）なんてことは誰でも平気だ。

バスを一時間待ったら茹でダコのようにまっ赤になって怒り出す人でも空港のロビーでは、茹でないタコのように大人しくグニャリとすわっている。

元の共産圏などでは、六時間待ち、十二時間待ちは常識だそうだ。

世界中を、毎日忙しく飛びまわっているビジネスマンなどは、人生の大半を空港のロビーで過ごしていることになる。

さて、そこでです。

新装なった羽田空港では、お待ちいただいている方々に、少しでも退屈をまぎらせていただこうと、様々な施設を新設した。

ショッピングゾーン、グルメゾーン、お遊びゾーンとしてゲームセンターまで新設した。

以前の羽田空港にもあったのかもしれないが、美容院、理容室、郵便局、銀行、歯科医院、診療所なども、見やすいところに配置された。ショッピングゾーンには、「和光」「ミキモト」「髙島屋」「三越」「大丸」などが進出し、グルメゾーンには寿司、ステーキなどの各店のほかに、社員食堂風のセルフサービスの店もできた。

デパート屋上の遊園地風のゲームセンターでは、早くも子供づれのおかあさんが、モグラたたきに興じていた。

つまりです。

空港でお待ちいただいている方々の退屈をまぎらせつつ、ついでにおアシも頂戴するという、新しい収益の方策を見出したようなのですね。

退屈は金になる。

「退屈は金なり」という新しい格言がここにおいて生まれたようなのです。

九月二十七日の新装開業から五日目の十月一日に、「どげなことになっとりゃーすの？」と出かけてみたのだがとにかくもう豪華、ピカピカ。

テレビなどで何回も紹介された、空港ビル中央の、六階までの吹き抜けは、「ここが空港か」と思わせる華麗さだ。

吹き抜けの壁面に沿って、中の人間が見える透明なエレベーターが上下し、古くは『007』、新しくは『トータル・リコール』のような、近未来風の雰囲気に満ちている。

建物の中を歩いていると、自分が近未来の都市の中をさ迷い歩いているような錯覚に陥ってくる。

だけどですね、ただよってくるんですね、ラーメンの香りが。

近未来都市の片隅から、ラーメンの香りがただよってくる。

香りをたどっていくと、あるんですね、ラーメン屋が……。赤いチョーチンぶらさげて。

そして店の中では、大勢の人がラーメンを食べている。

たしか、以前の羽田空港には、ラーメンの専門店はなかったように思うが、こんどは出来てしまったんですね。

「天鳳」という店で、ラーメンが600円。チャーハンが850円。

新羽田空港の紹介記事に、「食いもの屋の値段が高い」というのがよくあったが、全体的にそんなことは決してない。有名高級店の値段はそれなりに高いが、セルフサービスの店などはよそより安い。

一階の「インターナショナル・フード・コート」というところは、デパートの大食堂の雰囲気で、ラーメンが480円。チャーハン600円。カレー680円という値段。

そしてですね、ここでも、広々とした店内のほぼ七割の人がラーメンを食べているんですね。

新装、ピカピカ、白一色、近未来、カフェテラス風の店内で、みんなズルズルとラーメンの茶色いスープをすすっている。黄色い麺を、割り箸でスッ、スッと持ちあげている。茶色い焼き豚を嚙みしめている。

カレーやラーメンのほかに、おでん550円、けんちん汁350円などもあり、むろん日本酒450円もある。

そして、ゴハン200円などというものもあって、デパートの食堂よりもくだけた態度をとっている。

とも言えるし、「まだ開店したばかりでどういう営業方針でいったらいいかよくわかんない」という態度をとっているとも言える。

もう一軒のセルフサービスの店は、さっきのラーメン屋の横にあって、こちらは駅の立ち食いそば屋の雰囲気だ。

「カレー」とか「うどん」とかの札のさがったコーナーへいって、チケットを渡して現物を受け取ってテーブルに持っていって食べる。

ミニコンビニ風の店もあって、ここはコンビニ風弁当や、竹の子を煮たお惣菜パックなどが充実している。

なるほど、乗客が機内に持ち込んで、駅弁ならぬ飛行機弁として、窓外の景色を見ながら食べるわけだ、と思っていたらさにあらず、空港内で働く人たちが利用している店らしい。

屋上は「バードアイ」と称する屋外ラウンジで「ムードたっぷり。飛行機を眺めながら彼女と一杯やれば、夜にはカラフルな誘導灯もともり、まさに〝愛のフライト〟に出発だ」などと紹介記事に出ていたところだ。

ところがここでも、まっ白なテーブルにすわった人の八割が、ラーメンをズルズルすっている。

外観は近未来だが、内部はラーメンの湯気がいっぱいだ。どうしてこう、日本人て、どこもかしこもラーメン一色にしてしまうのだろう、と言いながら、自分もズルズルとラーメンを食べているのでした。

対決！　一汁十八菜

サーテ、今夜は何を食べようか。

ということになって、アレコレ迷いだすことがある。

エビフライ、なんてものが突然浮上してきて、しかし、こう今夜は冷えてくるとタンシチューなんてものもわるくないし、カキのグラタン、これまたけっこう、ローストビーフ、うん、それ、いきましょう、まてよ、ヒラメの刺身も少々欲しい気がするし、塩辛なんかもちょこっと舐めてみたいし、コロッケもひとかじりして、突然ではありますがエスカルゴをほじって、あわびの酒蒸しをアグアグ嚙み、そのあとスモークサーモン、小エビのカクテルソース、このあたりからわけがわからなくなってきて、ムール貝のマリネ、チキンコキール、帆立貝のミラノ風、というようなことになっていって、こうなると最後は当然ラーメンだな、と、まあ、ほとんど発作的、錯乱的献立を頭に思い描く

ことがある。

思い描くことがある、などと、もっともらしく書いたが、こんな献立あるわけありませんよね。

ところが、あるわけないものがあるのである。

しかし、まあ、この献立、どこにどういう脈絡があるのか。

こんな献立、考える人いるわけないだろ、とお思いでしょうが、いるのである。

日本橋の「たいめい軒」の〝小皿料理〟と銘うったコース料理（七千円）がそれだ。

さきほど、一見でたらめに書きつらねたような料理が全部出る。

十八種の小皿料理にラーメンを加えて十九品。

一汁十八菜である。

しかし、いくらなんでも、エビフライにローストビーフにカキのグラタンにコロッケにエスカルゴにその他もろもろに、エ？　ラーメン？　そんなに食べられるわけないだろ、とお思いでしょうが、食べられるのである。

エビフライもコロッケもローストビーフも、全部ミニサイズだからである。料理のすべてが、直径八センチほどの小皿に収まる大きさだ。

ごく一般的な食事の基本型は、一汁三菜といったところだろう。定食屋で言えば、味噌汁、焼き魚、ホーレン草おひたし、お新香というようなことになる。

これで一食のおかずとしては十分だ。

一汁五菜ということになると、それに納豆、冷や奴、生卵あたりが加わることになる。

これでもう十二分なのに、一汁十菜を通り越して、何と一汁十八菜。

一汁十八菜は、一の膳と二の膳の、二回に分かれて来襲する。

一の膳の九菜を食べ終わると、次の二の膳が来襲し、最後にラーメン、という段取りになる。

小説の雑誌などでは、ときどき「堂々三百枚、一挙掲載!!」などと表紙に書かれていになる。

たりするが、こちらは「堂々十八菜、二挙連載!!」である。

一種の、連載もの、というわけですね。

ぼくとしては、大型のお盆に、「堂々十八菜一挙掲載!!」にしてもらって、目の前に展開する十八菜の景観を眺望しながら雄大な食事をしたかった。しかし、それでは熱いものが冷めてしまうし、冷たいものが温まってしまう。

生ビールの中ジョッキと共に、第一波がやってきた。

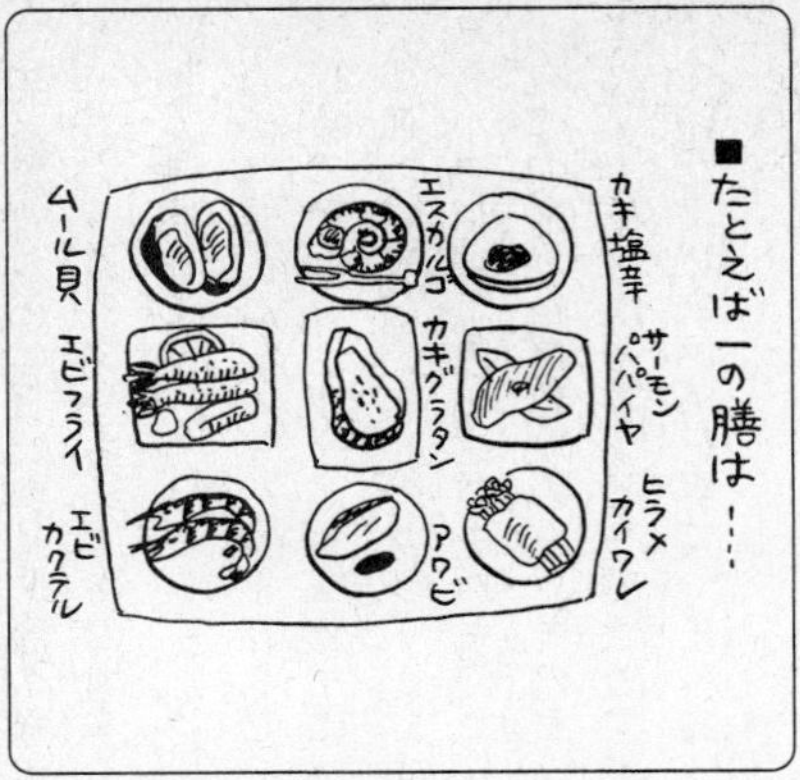

まず生ビールをグビーッと一口。

エート、まず最初は何からいくか。

右の目で生ビールのジョッキのフチを確認して唇に押しあてつつも、左の目はお盆の上の九菜に注がれている。

長年にわたって鍛えられた離れ技「両眼別使い一挙二点焦点合わせの術」である。

離れ技を駆使しつつ生ビールをゴクゴクゴクと飲み、ジョッキをトンと置いて、さあ、最初何にいったでしょう。

第一波は、

・エスカルゴ・エビフライ・殻つきカキのグラタン・スモークサーモン・あわびの酒蒸し・ムール貝のマリネ・カキの塩辛・ヒラメの刺身・エビのカクテルソース
という陣容である。

そうです。

迷うことなく、まずエビフライにいきました。

小皿の中に、小エビのフライが二本。シシトウの肉詰めフライが一本。ニュルニュルのタルタルソースを、パキパキのエビフライにからませてパクリと一口。

次にエスカルゴを攻め、カキのグラタンをスプーンでひとへずりして、その次はスモークサーモンにいこうとしてやめ、ムール貝に向かおうとしてこれもやめ、もう一本残っていたエビフライを箸でつまみあげてこれを落下せしめ、肉詰めシシトウのほうを口に入れる。

これだけ料理が並んでいると迷い箸が楽しい。

迷い箸は表向きはいけないことになっているが、裏社会では盛んに横行していると言われている。

特に一人の食事のときなどは、迷い箸はし放題だ。これだけ料理があって、迷わないほうがおかしい。

第二波は、・帆立貝ミラノ風・グリーンアスパラ・ローストビーフ・カニコロッケ・

チキンコキール・トマトクリームスープ・タンシチュー・ピクルス・メロン。

まあしかし、これだけ多種類で小まめに攻めてこられると、その対応だけでかなり忙しい。

息つくヒマもない、というと大げさだが、ちょっとひと休みというわけにはなかなかいかない。

一対十八。

多勢に無勢。

こちらの体は一つしかない。

一人で常にどれかと対応していなければならない。

〝一人で一週間に四人〟の忙しさとわけがちがう。

一対十八をこなして一息ついていると、とどめのラーメンがやってくる。

ラーメンは小ぶりの丼に入っていて、チャーシューには昔懐かしい赤いフチドリが律儀にほどこされている。

そういえば、どの料理も律儀な味であった。

グルメ本の楽しみ方

一日の仕事が終わると、とにもかくにもまず風呂に入る。うんとゆっくり入る。風呂のフタを三分の一ぐらい残しておいて、そこを机代わりにして本を読む。むずかしくない本がいい。

『東京のうまいもの屋三百店』とか『東京B級グルメ店めぐり』といったような、カラーグラビアを主体とした本が一番ぴったりくる。風呂につかって、あてずっぽうにページをめくり、臨場感あふれる写真を見ながら、

「オー、この店のおでんのハンペンのツユのしみ具合、まことに結構」

「オー、この店の刺身盛り合わせは、実に盛りがいい」

などと、至福のひとときとなる。

こういう本は、寿司屋、おでん屋、洋食屋、居酒屋など、たいていの分野の店が網羅

されている。自分の行動半径にある店には強く興味を引かれるが、そうでない店は極端に興味が薄れる。

ぼくの場合は、西は吉祥寺から新宿、神田、東京駅周辺、新橋、有楽町あたりまでで、浅草、渋谷、池袋となると興味が薄くなる。西麻布、六本木、銀座、青山となると興味が絶滅する。

〝距離と興味は正比例する〟のだ。

葛飾区の店に、どんなに旨そうな料理があっても「フーン」と冷たくあしらうが、中野、阿佐谷あたりの店になると、たとえ平凡な鍋物でも「ドレドレ」と、鍋の中の一つ一つの具から汁の色まで子細に点検したりする。

主力商品のアップの写真のほかに、店によっては店構えの写真も出ていることがある。

「ホー、この寿司屋は、こういうふうに道路からちょっと引っこんだところに入り口があるのか」

というふうに写真から判断できる。

だいぶ前、ある天ぷら屋が同様に引っこんでいるのを知らずに出かけて行って、現場で急に引っこんでいるのを見てショックを受け、動揺してそのまま帰ってきてしまったことがある。

だから、店構えの写真は大切だ。

寿司屋なんかだと、

「フーン、こういう店構えで、こういうふうにとりすまして客をおどかそうってわけね」

と、こっちはそれなりの心づもりと対応策を胸に秘めて出かけて行くことができる。

おでん屋だと、

「このノレンの左はしにこう立って、左手でノレンをこうはねあげつつ、右手で引き戸をこう右に押し開いて入って行けばいいわけだが、この写真の感じだと、引き戸が途中

で少しきしむ可能性があるな」

と事前の心構えが完璧になる。

さっきの天ぷら屋の場合でも、写真を見て事前に知っていれば、

「こう道路を歩いていって、右奥に店を発見し、曲がり角のところで胸元をかきあわせ、六歩歩いて入り口に到着し、そこでエヘンと咳ばらいを一つしてから戸を開ける」

と、段取りをすっかり頭に入れておけるから、動揺なしでスッと入って行くことができたはずだ。

楽しいのはやはり料理の写真だ。

洋食屋の〝昼のサービス弁当〟というのが出ている。

「ぼくだったら、このメンチはこっちにどけて、そこにシューマイを置きたいね。ゴハンにかかってるゴマは、ぼく要らない。エビフライは一本にして、代わりにアジのフライにしてほしかったな」

などと、文句をつけつつ鑑賞する。

話は変わるが、マンションの広告がときどき新闇にはさんでありますね。

その間取りを見ながら、

「ここが寝室というのは考えものだな。ぼくだったら、ここはむしろ書斎にして、このクローゼットはとっぱらって、リビングは半分に仕切って二部屋にして使う」

などと、自分のものでもないのに文句をつけたりする。あれに似ている。

串揚げの店というのが出ている。

串揚げは、コロモをつけて揚げてしまうと全部同じ姿になってしまうので、コロモをつける前の姿で出ている。一本一律二百円の店だ。

「しかし、牛ヒレとかタンとかホタテとかは二百円でもいいが、アスパラ、しいたけが二百円とはいかがなものか。ナニナニ？　ししとう二百円？　ナス二百円？　ネギ二百円？　小さなピーマン半分二百円？　ドロボーッ」

などと、なかなか楽しい。

北海道の郷土料理の店が出ている。ルイベ、氷頭《ひず》ナマス、イクラ丼などと共に大きなホッケの塩焼きが並んでいる。

「この店もホッケの塩焼きときたか。これ、図体ばかりでかくて、大味で旨くねーんだよ。ぼくこれ要らない。あっちに持ってってとくれ」

と、あっちに持ってってとくれ、のところは本当に声に出して言う。

風呂場のグルメ本鑑賞は佳境に入りつつあるようだ。

蕎麦屋のところでは某有名店のせいろが出ている。この店はぼくも何回か行ったことがある。大きめのザルに蕎麦が盛りあげてある。〈この店のせいろは、水切りをよくするためザルを逆さに伏せてその上に蕎麦を盛ってある〉と解説してある。

「知ってんだよ、こっちは。水切りうんぬんじゃねーんだよ。あげ底にして量があるように見せてるだけなんだよ、あっちは」

と、風呂場の中で大声で怒鳴る。

居酒屋の刺身盛り合わせがある。

「これ、いやに盛りがいいじゃないの。マグロに甘エビにハマチにイカ。オット、この大葉の陰にかくれているのはホタテじゃないか。しかも四切れ。オー、おまけにここにタコまであるぞ、ウーム、なんて良心的な店なんだ。エ？　ナニナニ？　写真の盛りつけ例は、三人前です、それを早く言え、それを」
と、風呂場の中のグルメ本鑑賞は、さらに佳境に入っていくのであった。

バーンズ展と鴨なん

このごろ行列をあちこちで見かける。

行列がトレンドらしい。

ロシアの例をまつまでもなく、行列には飢えがからんでいる場合が多い。

終戦当時の日本国民も、食糧の配給の行列に毎日のように並んだ。

ぼくは、この「飢え」にも「行列」にも無縁だと、ずうっと思って暮らしていた。

まさか自分が、飢えて行列に並ぶことなどありえない、と思っていた。

ところがつい先日、〝飢えて行列に並ぶ〟ことになってしまったのである。

最近「バーンズ」という言葉を耳にしたことはありませんか。

ぼくも、バーンズなんて、何のことか知らなかったのだが、突然、あちこちで耳にしだして気になっていた。

聞いてみると「バーンズ・コレクション展」というものを、いま上野の西洋美術館でやっていて、四月三日で会期終了だという。

バーンズというのは、早い話が人の名前で、バーンズ・コレクションというのは、早い話が、アメリカのバーンズというおじさんが、目の薬で一発当てて大儲けしたので、フランスへ出かけていって、まだ無名のころの、ピカソやマチスやモジリアニやルノアールやらの絵を買い集めた、と。

そこでバーンズ美術館と

いうものを建てて人に見せていたところ、ある人にある絵をけなされたので、もう誰にも見せない、と遺言して死んじゃった、と。

今回、美術館を改築するので、その間だけ、東京とパリとニューヨークの三カ所だけ巡回公開する、と。

公開は今回これっきりで、二度ともう見られない、と。

バーンズおじさんは、ただのおじさんではなく、優れた美意識の持ち主で、コレクションは質の高いものばかりである、と。

このうちの〝二度ともう見られない〟という部分が効いた。

効いて、あわてて朝の十時に出かけて行ったら、他の人にも効いていたらしく、上野の西洋美術館の前は長蛇の列だった。

長蛇も長蛇、四列で百メートルほどの列が、日光のいろは坂風つづら折りに折れて六列。

大勢の係員が、

「ただいまのお待ち時間は一時間半」

と声をからしている。

驚いたことに、この行列を構成している人員の八割五分がおばさんである。

文化と行列は、もともとなじまないものなのだが、おばさんがからむと突然なじむ。

行列に参加するには、とりあえず行列の最後尾に並ばなければならない。最後尾の人にならずして、行列に参加することは不可能である。

最後尾の人というものは心細いものであるし、寂しいものでもあるし、また端から見て哀れな感じもある。

しかし、今回は、最後尾はほとんど瞬間で、すぐにバラバラと人が駆けよってきてうしろに続いた。

急に心強くなり、自信もつき、うしろの人を哀れむ気持ちもわいてきた。

自分の前は、たくさんいればいるほど困るが、自分のうしろは、たくさんいればいるほど嬉しい。

周りの人の話を聞いていると、九州とか東北とかから、飛行機で駆けつけた人もいるようだ。

ズルズルと少し前進しては止まり、またズルズル前進すること一時間。

朝の九時に家を出てきたので朝食抜き。

ハラヘリ、ヘリハラは極限に達していた。

ハラが減って目が三角になった。

美術館前一帯は人混みで雑然としていて、行列の人と、ただの人混みと、見分けがつかない部分がところどころある。そういう部分は、注意してないと割りこまれる恐れが十分ある。

三角の目が、さらに三角になって、三角形の内角のすべてが30度になった。（ありえないか）

もしここで割りこんでくるおばさんがいたら、ただちに飛びかかって首をしめようと思った。ハラヘリと疲労で兇暴になっていたのである。

一時間二十五分、ようやく美術館入り口が見えてきた。

腹の皮は背中につき、目はかすみ、足は棒から銅になって鉄になった。

理論を無視して、三角の内角のすべてを30度にした。もしここで割り込むおばさんがいたら、ただちに首をしめて殺そうと思った。

予告よりやや遅れて、十一時四十五分、晴れて堂々の入場。

中がまたひと騒ぎだった。押しあい、へしあい、揉みあい、こづきあい、蹴りあい、踏んづけあう。

その間に絵も見なければならない。

おばさんの中には、最前列に二人で陣取って少しも動かず、絵のほうには目もくれずに二人で世間話をしているのもいる。

こういうのは強く首をしめたい。

さすがバーンズおじさんの目は確かで、どの絵も人を引きつけて離さないから列がなかなか移動しない。

バーンズさんは明るい色調が好みらしく、モジリアニでさえ明るいトーンの絵ばかりが並んでいる。

外へ出たのが一時半。グッタリ、ヘッタリの極限となって、かねて予定の「池の端藪蕎麦」に駆けこんだ。

迷うことなくざるそばと鴨なん。

ざるそばも旨かったが鴨なんが旨かった。カマボコ大で厚さ七ミリという大きな鴨肉が四切れも入っていてその鴨の火加減がまた絶妙で、表面にうっすら血がにじんでいて、どえりゃうみゃーてかんわ。

ツユに鴨の脂と味があまり移らない、非濃厚型の鴨なんで、どえりゃーうみゃーのはいいが、この店は量の少ない店として有名だ。

店を出て、当人も胃袋もなんとなく釈然とせず、少し歩いて、うなぎの「伊豆栄」の前にさしかかると、吸いこまれるように中へ入って行った。

夏みかんの忘我

「夏みかんに関するアンケートのお願い」という用紙が手元に回ってきたとします。
該当するものに○をつける方式で、
①昔ちょっとつきあったことがある。
②いまはすっかり縁を切っている。
③いい思い出はあまりない。
④もう一度つきあいたいとは思わない。
⑤町で会っても知らん顔していたい。
というような五項目。
女性は別にして、男性は③あたりが正直な感想なのではないだろうか。
男は一般的に酸っぱいものを嫌う。

よくない思い出の一つに「ふるえるほど酸っぱかった」というのがある。

「皮が硬くてむくのにかなりの力が要る」というのもある。

「タネを取るのが面倒くさかった」うえに「フクロをはがすのに手間がかかった」。

とにかく厄介な果物で「いい思い出は一つもない」というところへつながっていく。

それでも昔は、今よりずっと人気があった。

どこの八百屋でも果物屋

でも、シーズンになると夏みかんが店頭を賑わしていた。

高校生のころは、クラスに一人は「夏みかん」というアダナの生徒がいたものだった。夏みかんの皮の凹凸の激しさが、ニキビ面《づら》の凹凸にそっくりだったからだ。

そういえば、亡くなった坂本の九ちゃんも「夏みかん」でしたね。

結婚してしばらくした新妻が「夏みかんが食べたい」と言えば、それは「子供ができた」というサインであった。

実に夏みかんは、ニキビとニンシンという人生の二大重大事に深く関与していたのである。

つい最近、ふとしたことで、ふとした人から、ふと夏みかんを送ってもらい、ふと食べてみる気になった。

昔のよしみでつい手が出た、というやつですね。

ところがこれがうまかった。

どうせふるえるほど酸っぱくて、どうせ一フクロ食べて放りだすだろうと思いながら口に入れてみたのだが……。

ところがこれがうまかった。

いまの夏みかんはふるえるほど酸っぱくはない。

甘夏よりは酸っぱいが、さわやかな酸っぱさになっている。

清涼感があって、いい意味での強い刺激があって、力強さがあって、どこか東洋的で、独特の主義主張がある。

昔はなにかと突っかかってくる奴だったが、世間にもまれて、いまは人間的にもすっかり丸くなったようだ。

ずいぶん長い間交際が絶えていたのに、その食べ方を逐一おぼえている。

そのことに改めて驚かされた。

夏みかんを左手でしっかり持って、右手の親指をまん中てっぺんにズブリと突き刺す。

まあ、その皮の硬いこと。

まあ、その中のフクロのでかいこと。

まずフクロを一つ、両手で持って、上側の、弓で言えば弦のところを、前歯でもってクチクチと嚙んで切り取る。

封筒の封を切るようなものですね。

そうしたら、しめ鯖の皮をむくように、左の親指で実を押さえながら、右側の皮を下までずりおろす。

反対側も同様にずりおろす。

何でもそうですが、この〝片っぽうずつ〟というのが大切で、あせって両方いっぺんにずりおろそうとすると必ず失敗します。せっかくの形のいい半月形の実が崩れてしまう。

崩れてしまうと口惜しく、完全無欠にむけるととても嬉しい。

こういうのは、「あとで」と、脇へよけておく。

一個の夏みかんで、「あとで組」が三つぐらいできるととても嬉しい。

ほんの一部が崩れてしまった「準あとで組」も、やはり「あと」に残しておく。

「準々あとで組」というのもあるにはあるが、あんまりそうやって残してばかりいると、すぐに食べる分がなくなってしまう。

大きく崩れたのは、迷わずすぐ食べる。すぐ食べるといっても、その前にタネを取り除かなければならない。

このタネ取りがまた厄介なんですね。

一つのフクロに大タネ、小タネといろいろある。

もう全部取り終わったな、と思っていると、ツブツブの陰にシワの寄った薄いシワタネが隠れていたりして、「ヨワッタネ」なんて言いながらそれも取り除く。

この「タネ取り」と「ずりおろし」の作業は、おもしろいことなど一つもない。

ただひたすら忍耐があるばかりだ。

のちの「あとで組」や「準あとで組」の愉悦を頭に思い描きながら、ひたすら耐え忍ぶよりほかはない。

夏みかんの『おしん』の時代だ。

さて、皮もずりおろした、タネも取った。

いよいよです。

フクロの底部の両側からたれ下がった二枚の皮を、両手でしっかり持つ。

しっかり押さえる。

すると、スパイクタイヤが密集したような尖《とん》がったものがいっせいに花開く。

このスパイクタイヤの林立が嬉しい。

この林立をパクリとくわえ、唇と歯で押さえて皮を引き抜く瞬間、口中に酸味と甘味と柑橘系の香りにあふれた果汁がほとばしる。

耐えがたいような酸味と好ましい甘味。

嫌悪と紙一重の酸味。

愛情すれすれまで近寄って離れる。

愛と憎が口中で激突し、もつれ、からみあい、そして最後に愛が勝つ。

心配ないのだ。「KAN」が言うとおり、最後に愛は勝つのだ。

酸味というものは、梅干しの例をまつまでもなく、人を身ぶるいとともに一瞬の忘我に導く。

夏みかんの場合は、一フクロ、二フクロと忘我が連続する。

忘我は専念を招き、専念は熱中を呼ぶ。

忘我、専念、熱中。手はベタベタ、口のまわりもベタベタ。

そのとき電話。

と、と、とりあえず、どうする？

チューチューの教訓

〈もどかしい〉を辞書でひくと、

物事が思うように進まずイライラする。じれったい。はがゆい。非難すべき様子。

などと出ている。

いずれにしても、精神衛生的にはよくない状態であることはまちがいない。

商品を世に送り出す場合、こういう部分は極力排除される。

もどかしくなく、易しく、たやすく、手間ひまかけさせないように改良されて世に送り出される。

より容易に、より安易に、というのが、あらゆる商品の基本テーマだ。

わざと使いづらく、わざと手間ひまかけさせて、消費者をもどかしくさせる商品などあるはずがない。

ところがあるんですね。

わざとややこしくして、わざと手間ひまかけさせて、消費者をイライラさせる商品……。

それが「チューチュー」だ。

と言われても「チューチューって何だ」とご不審の諸兄は多いと思う。

「チューチュー知らない」と、おなげきの諸兄に、辞書風に解説してみると、

【チューチュー】

ヒョータンをタテに長く引きのばしたようなプラスチック容器に入れられた氷

菓。多くは液状で販売され、各家庭で冷凍し、先端を刃物で切り、そこに口唇をあてがい、手指でモミモミして氷解活動を行い、わずかに溶解した液体をチューチュー吸う。

チューチューは通称。正式名称はない。

主たる消費者は幼児だ。

駄菓子屋で売られることが多いが、スーパーでも売っている。

上級のスーパーの棚には元気なく並べられ、下級のスーパーでは元気よく並べられている。

「全チュー連」（全国チューチュー普及促進連盟）は、このチューチューを、幼児のみならず、全国の紳士淑女の間にも普及させようとして生まれた組織だ。

なぜかというと、このチューチューこそ、この不況の時代、清貧の世相にぴったりの商品だからである。

以下その理由を述べていくことにしよう。

チューチューは、その内容量、大で90㎖、小で45㎖。

凍らせずにそのまま飲めば、ゴクンと一口《ひとくち》、一秒で飲める量だ。

時間にして一秒、文字にして三個で処理できる問題を、チューチューは、まあ、揉んだり握ったりねじったり温めたりして、一滴、また揉んだり握ったりねじったり温めたりして一滴、というふうに、えんえん二十分かけて解決するようにつくられた商品なの

だ。

大一本（90㎖）で二十分かかることはぼくが保証します。

しかも他のことは一切せず、かかりきりで一心不乱に揉んで吸って二十分。

この間、アゴはあげたっきり。

テレビなどを見るときは当然下目づかいになる。

一本で二十分だから、三本に取り組むとなると一時間かかる。

値段は大で一本25円。特価で23円。

75円以内で一時間楽しめる娯楽はそう多くないのではないか。

しかもチューチューは、幼児の人間形成に非常に役立つ。

むろん、紳士淑女とて、精神の修養に大いに役立つ。

まず忍耐ということを覚える。

特に気の短い人は、チューチューで修行を積むとよろしい。

一滴の水がどんなにありがたいものか、ということを覚える。

不撓不屈の精神を覚える。

継続の尊さを覚える。

とりあえず、冷凍庫からチューチューを一本取り出してみよう。

チューチューには、初期カチカチ期、中期ザクザク期、後期ズルズル期の三期がある。

この三期を、手指の動きから、初期ニギニギ期、中期ジャキジャキ期、後期ワシワシ期、と表現する人もいる。

初期カチカチ期は、火山で言えば休火山のような状態で、内部的な動きはまったくない。

握ってもたたいてもビクともしない。

ただひたすら辛抱づよく握りしめるよりほかはない。

このときの手指の冷たさといったらない。手がかじかんで、へたをするとシモヤケになりかねない冷たさだ。

かじかんだらいったん離し、首すじ、頬などで温め、再び握る。

このとき幼児は忍耐ということを覚える。苦労ということも覚える。継続の尊さを覚える。

やがて、ほんの少しずつ内部的な動きが見られるようになる。

溶解した液体が、内壁と氷の間のわずかなスキマを、アミーバの体液のように動きまわっているのが見える。

内部が活動を始めたのだ。

カチカチだった表面も、ほんの少し柔らかみを帯びてきている。

勇気を得て、しっかりとアゴを上げ、両手のニギニギ活動を激しく行う。

口唇は激しく吸引活動を行う。

すると、やがて、たった一滴、甘くて冷たい液体が、ほんの一瞬、口中に吸いこまれ、アッという間にノドの奥に消えていく。

このときの嬉しさ、このときのおいしさ。ありがたさ。いままでの苦労が、忍耐が、淡雪のように消えていく。

一滴だけ、それっきりで追加はない。

チューチューを通りこして、ジュージューという音になるまで激しく吸っても、もはや一滴も出てこない。

このときの空しさ。

（ここでくじけてはいけない）

と再び勇気をふるってニギ活、モミ活にとりかかる。

だいたい、五ニギモミで一滴、というのが平均値である。

この業界も最近は（果汁30％入り）とか（乳酸菌入り）（アルカリイオン水使用）な

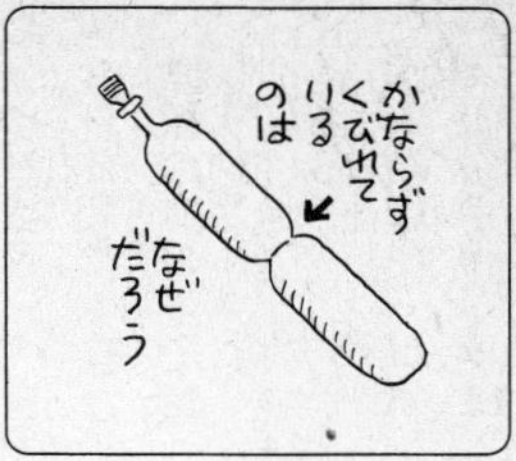

ど、それなりの企業努力をしているようだ。

全チュー連としては、やがてチューチューが全国的に普及し、喫茶店などで、大勢の客が、アゴをしっかりと上げて、チューチューをチューチュー吸っている光景が見られるように更なる努力を続けていくつもりである。

ロールキャベツのイマイチ

ロールキャベツはおかずのイマイチ君である。

おかずとして、イマイチ印象が薄く、イマイチ迫力に欠ける。

おかずとしてなんとなくマイナーで、おかずの二軍、という印象がある。

たとえばハンバーグ。

ハンバーグは迫力がある。

鉄板の皿の上でジュージュー焼けて、黒い焦げめがついて、厚くてどっしりしている。

皿の上で、堂々胸を張って元気である。ときどき油がピチッとはねたりして、活動的でさえある。

味も濃厚で、ゴハンによく合う。

ロールキャベツはどうか。

皿の上でグッタリ横たわっているように見える。へたりこんだようにも見えるし、行き倒れて倒れ伏しているようにも見える。

とにかく疲れきっているのだ。

全身は濡れそぼっているし、気の毒にさえ思える。

いきなりビショビショの姿でわれわれの前に姿を現さなくたっていいじゃないか、という気持ちになる。

なんかこう、被害者をよそおっているふうで、そこのところに、卑怯なものを感じる。

ロールキャベツの中身はハンバーグと同じものだ。

言ってみれば、ハンバーグをキャベツで包んでソースで煮たものだ。

ハンバーグを、更に強力に補強して、改良し、付加価値を与えたものだ。

なのに、急にへたりこんでもらっては困る。行き倒れてもらっては困る。

ゴハンにも急に合わなくなる。

いや、合わないというのは言い過ぎで、ビタビタしたソースがゴハンに合うような気もするし、いや、やっぱり合わないような気がする。

パンにも合わないような気がする。

ビールにも合わないような気がするし、単独で食べてもそれほどおいしいとは思えない。

じゃあ、何でこんなものを開発したのかというと、こういうことって、世の中によくあるんですね。

理論的にも合っている。

改善のあともみられる。

アイデアもある。

当然、あってしかるべき製品である。

ハンバーグに野菜を組みあわせて栄養的なバランスを考えてある。

それをただいっしょに煮るのではなく、巻く、というアイデアによって美的な処理が施されている。

そういうものがあったらいいだろな、と誰しも思う。

しかし不評である。

家電製品なんかに、よくそういうのがありましたよね。

外食の世界でもロールキャベツはマイナーで、ちゃんとしたレストランのメニューにはあまり出てこない。

ビアホールのメニューにもまずない。

じゃあ、純然たる家庭料理かというとそうでもなく、「松栄亭」などという洋食の老舗のメニューにちゃんとあったりする。

新宿の老舗「アカシア」は、「当店独得料理」という看板を店の前に出して、ロールキャベツを売り物にしている。

では、おふくろの味か、というと、そういうわけでもなく、子供たちに人気のある料理とも思えない。

ハンバーグとロールキャベツを並べたら、子供は迷わずハンバーグをとるにちがいない。

ロールキャベツは、どうもなんだか怪しい奴だ。

その名前からして怪しいところがある。

〝キャベツで巻いた……〟と言っておきながら、何を巻いたかについては一言も言及していない。

内容的にも重量的にも、ロールキャベツは挽き肉の部分のほうが多い。九対一ぐらいの比率で多い。

なのに、そっちはまったく無視してキャベツだけを名乗っている。

部下に仕事のほとんどをまかせて、手柄だけ横取りする課長サンに似ている。

もともとこの〝ロールの業界〟には、昔から「巻いたが勝ち」という諺があるそうだ。巻いてあるものには一切触れず、巻いたほうが名を名乗るという慣習だ。「海苔巻」がそうだし、「昆布巻」がそうだ。「野沢菜巻」なんてのもある。

じゃあ、「納豆巻」はどうなんだ、「お新香巻」はどうなんだ、ということになるが、ここはそういうややこしい話をする場所ではない。

話を急ごう。

ロールキャベツは何で食べるか。

ナイフかフォークかスプーンか。

何軒か、ロールキャベツを出す店を食べ歩いてみたが、店によってさまざまだ。ナイフを出す店、出さない店。フォークとスプーンを出す店。スプーンだけの店。箸を添える店。

ロールキャベツは、ナイフでスパッときれいに切りながら食べるとおいしくない。

スプーンとかフォークなどで、苦労しながら切って食べるとおいしい。

皮のキャベツがうまく切れずにちぎれたり、ちぎれたと思って口に運ぶと、まだつながっていて、残りがズルズルと寄ってきたりして、少しイライラしながら食べるとおいしい。

キャベツが豊富に
巻きこまれたここが
うまい!!

フォークで切っているうちに、フォークの刃にキャベツがよじれてからみつき、それが唇からたれさがってスープがボタボタたれたりするとおいしい。

キャベツとハンバーグの部分がいっしょに切れず、皮だけズルズルとむけて裸になったところをあわてて修復したりして食べるとおいしい。

箸だけで食べるのはかなり悲惨で、箸を一本ずつ持って皮を破こうとすると、力余って箸がはね、一緒にトマトの赤いソースもはねることになる。

このようにロールキャベツは、いらだちながら、持てあましながら、手古摺《てこず》りながら食べるのが正しい。

この、いらだち感、持てあまし感、手古摺り感は、〝ロールキャベツの三大辟易感〟と言われており、栄養女子短大などの入試には、毎年必ずといっていいほど出題されると言われている?

具の時代のヤキソバ

いまほど具がクローズアップされている時代はない。

いまは「具の時代」である。

宮沢首相は七月十三日、遊説先の名古屋で、政策をかかげない政党は、

「具が大きい、小さい」

以前の、

「具がないカレーライスみたいなものだ」

と発言して、更に具がクローズアップされることになった。

小林稔侍氏は、毎日のようにテレビで、具の大小についてくどいほど発言し、述懐している。

具の子役の安達祐実さんは、一躍映画『恐竜物語』の主役に抜擢された。

トンビが鷹を生む、ではなく、具がタレントを生んだ、のである。

中国に「呉の時代」があったように日本は「具の時代」になったのだ。

いろんな人が具について「具だ、具だ」と、グダグダ言うようになった。

ぼくも具についてグダグダ言いたい。

具とは食べ物の副材料のことである。

カレーの具、ラーメンの具、チャーハンの具、味噌汁の具、うどんの具、どんな食べ物にも具はある。

具のない食べ物はない。

話は突然変わるが、掛布さんの野球解説を聞いたことありますか？

ミスターの長嶋さんは、「いわゆる一つの……」というフレーズを連発したが、掛布さんは次の三つのフレーズを連発する。何十回となく連発する。

その三つとは、「……というもの」「……の中で」「……の部分が」だ。

「ピッチャーというものは、投球というものの中で、バッターというものの好不調というものを考える部分の中でやはりキャッチャーというもののサインというものを見守る中での部分の中で……」

と際限なく三つのフレーズを連呼する。ぜひ今度、注目して聞いてみてください。

このフレーズを拝借して具について書いてみる。

エート、どこまで行きましたっけ。

そうそう、具のない食べ物はない、というところまででした。

具というもののない食べ物というものはないと断定する部分の中で、はたしてそうか、と反論する部分がないわけではない部分もある。

素うどんというものには具がない。

盛り蕎麦というものにも具がない。

さあ、どうする、という部分を考える中で、やはり具というものは大切だ、なくてはならないものだ、と考える部分も大いにある。

ウーム、この「部分」という言葉、とても便利な部分がある。

使い出すとやめられなくなる部分がある。中毒になるおそれがある。

そういえば、レポーターの梨元さんも「部分」の愛好者だ。こんど注目して聞いてみてください。

具は大切なものだが重用しすぎてはいけない。濫用してもいけない。

とくにヤキソバの具は、注意しなければならない部分がある。

ヤキソバの具は多すぎてはいけない。大きすぎてもいけない。

ヤキソバの具は、「屋台のヤキソバ」を模範としなければならない。

小さく、少なく、ときどきひょっこり、を目標にしなくてはいけない。

そうじゃないと、〝肉野菜炒めにヤキソバが少し混ざったもの〟になってしまう。

ここでいうヤキソバとは、いわゆるソースヤキソバのことである。

ヤキソバは、ソースヤキソバ系の軟らかいヤキソバと、麵を油でパリパリに揚げた硬いヤキソバとに大別される。

軟らかいヤキソバ、硬いヤキソバという表現で分類することができる。

むろん、軟らかいヤキソバ、軟らかくないヤキソバ、という分類の方法もある。

前者の分類法をA、後者の分類法をBとするならば、AとBははっきり分けて使わなければならない。

混ぜて使うと混乱が起きる。

たとえば四、五人のグループでヤキソバを食べに行ったとする。

「御注文をおねがいします」

「エート、ぼくは軟らかいヤキソバ」

「わたしは硬いヤキソバ」

「じゃ、ボクは軟らかくないヤキソバ」

「オレは硬くないヤキソバ」

「ぼくも軟らかいヤキソバ」

「そうすると、軟らかくないヤキソバが三つと、硬くないヤキソバが一つと軟らかいヤキソバが一つですね」

「そうじゃなくて、硬くないヤキソバが二つで、軟らかくないヤキソバが一つで硬いヤキソバが二つじゃないの？」

という混乱が起きる。

ヤキソバの具は、キャベツ、豚コマ、紅ショウガの三つが基本である。

この三大下級トリオ、安物御三家がヤキソバを取りしきらなければならない。

むろん、このほかに、ピーマンだとか、モヤシ、エビなどが参入したものもある。こういうものが少しずつ増えていって、高級化、高値段化への道を歩み出すのである。

白菜、ニンジンなども参入してきてそのうち、シイタケ、タケノコ、キクラゲ、アワビなどの中華系御一党様御一行が参入してきて、次第に成り上がっていくことになる。

中国には「具のほどを知れ」という諺がある（ような気がする）が、これでは具が具でなくなってしまう。

ソースヤキソバはビールに合う。

スーパーなどで売っている袋物の焼きそば（生）を買ってきて、自分で作って食べてみるとそれがよくわかる。

豚コマを更に小さく切り、キャベツも小さく切って炒め、最後に紅ショウガを入れる。

一口食べ、二口食べると口の中が油にまみれる。濃いソース味のからんだ麵をモサモサと嚙みしめゴクリと飲みこむ。三口、四口と食べ進み、ときどき紅ショウガの塩気に突きあたったりしながら五口、六口となったあたりで、突然、体の底のほうから、地軸をゆるがすような〝ツユ気《け》が欲しい〟という衝動が突きあがってくる。

このときの冷たいビールがこたえられない。

タタミイワシは悲劇か喜劇か

最近見かけなくなったものにタタミイワシがある。

「そういえば、久しくお目にかかってないなあ」

と、急に懐かしく思うおとうさんもおられると思う。

「そういえば、酒のサカナに、よくおとうさんに焼いてあげたっけ」

と、思い出すおかあさんもおられると思う。

若い人は、一度もお目にかかったことがない人も多いはずだ。

「タタミイワシ？　ああ、折りタタミ式のイワシのことね。すなわちイワシの開きね」

と、早合点する人もいるかもしれない。

確かに魚の開きは折りたたみ式になってはいるが、漢字で書くと畳鰯。軽くあぶって醤油をつけて食べる。

小魚特有のほんのりした苦みがあって、それが少し焦げた醤油の味と合って香ばしくておいしい。

午後の浜べの磯の香りがする。

それよりなにより、タタミイワシの真骨頂は嚙みごたえにある。

あるかなきかの厚みを歯で確認し、しっかり確認したあとピリピリと引き裂いて口に入れる。

タタミイワシは、この〝歯の確認〟がおいしい。確認のときの、鼻腔をくすぐる磯の香りがおいしい。

若い人さえわからなくなっているタタミイワシを、外国人に見せたら何と思うだろう。

手に持ち、じっと見つめ、

「イズ・ジス・ワシ？」

と聞き返すにちがいない。

そう、荒目の和紙に似ている。

和室の壁材にも似ている。

和紙ではなく、

「ジス・イズ・フィッシュペーパー」

と説明しても、

「オー！　ティッシュペーパー」

ということになって、

「アイ・シー。ジス・イズ・フィッシュティッシュペーパー」

ということになって、ますますわけがわからなくなってしまう。いずれにしても、これが食べ物だとは、初めて見る人には思えないはずだ。

それにしても、タタミイワシは奇怪な食品である。どう見ても紙だ。

直線的で四角くて薄くて、奇怪な模様がある。

そう言えば、海苔も、初めて見る人にはどう見たって紙だ。まっ黒な紙だ。

そう言えば日本人には、海産物を紙状化というか板状化というか、ペタンコにしたがる傾向があるように思う。

この嗜好は一体何だろう。

タタミイワシがそうだし、海苔がそうだし、ノシイカもそうだし、居酒屋のメニューによくあるエイのヒレがそうだし、スルメもそうだし、原型のときの塩タラもそうだ。

カラスミなんかは、もともと円筒形のものを、何とかしてペタンコにしようとしている。

ナマコの卵巣を干したクチコなどは板状になりっこない糸のようなものをとにかく板状にしおおせている。

魚の開きというものも、そもそも魚を板状にしようという発想から生まれたものなのだ。少し強引だがそういうことにしたい。

サツマ揚げやハンペンも魚の板状化だ。

考えてみると、タタミイワシなんかは、板状にする必然性はどこにも感じられないのに、強引に板状にしている。

シラス干しはバラで食べるほうが一般的だ。

ウーム、これは意外な大発見であった。

日本人の海産物板状化嗜好。板状化現象。

その心理の奥底にあるものは何か。

これは、日本に頻発する地震のときの地盤の液状化現象とともに、今後の重要な研究課題であろう、と言うにとどめて話を先にすすめたいと思う。

タタミイワシは、じっと見つめているとなんだかおかしい。

こんなふうな形にする必然性がないのに、そうしているところがおかしい。

板なのに、よく見ると、一匹一匹、きちんと一匹全部の形があるのがおかしい。

群れになって泳いでいるところを、瞬間凍結したみたいで楽しい。

集団で泳いでいるビデオの映像を、「停止」にしたみたいだ。

一匹一匹、泳いでいたそのままの姿態で停止している。

タタミイワシ一枚が、後世そのまま化石になりうる。

ネーミングにタタミを持ってきたところも愉快だ。

こういう薄手のものは、せんべいや布団にたとえられる場合が多いが、「フトンイワシ」や「センベイイワシ」ではおもしろくもなんともない。

重厚で、沈痛で、やや悲劇的なタタミを持ってきたところにアジがある。愉快だ。

ところが世の中には〝愉快〟とは何事だ、と怒る人もいるにちがいない。

タタミイワシは悲劇そのものではないか、と言うのである。

見渡せば、まさに死屍累々。

ここに至った悲劇の経過をたどれば、大量拉致、釜茹で、はりつけ、と、極刑中の極刑をもって彼らを今日《こんにち》に至らしめているのである。

石川五右衛門でさえ単一の刑であった。

しかも、彼らは稚魚である。言ってみればイワシの児童である。

児童福祉法などに照らしあわせてみても、この行為は一体許されるものなのかどうか。

これも今後の重要な研究課題であろう、と言うにとどめて話を先にすすめたい。

　昔の居酒屋のメニューには、大体タタミイワシがあった。

いまの居酒屋チェーンのメニューにはない。一枚三百円という高級品になっているからだ。

昔は一番安いメニューの一つだった。

居酒屋に一人で入って間《ま》がもたないときなど〝一枚に何匹いるか〟と、一匹一匹数えて間をもたせたものだった。

一枚に何匹だと思います？

二一三〇匹。

一㎠に八匹×タテ×ヨコで割りだしました。

チューチュー大反響

先月でしたっけ、「チューチューの教訓」というのを書いたのは。

そうしたら大反響があった。

全国全県的規模の投書が怒濤のように押し寄せ、編集部の机の上は山となった。

北は埼玉県から西は岐阜県まで、投書総数、実に十四通。

全県的規模というわりには範囲が狭く、怒濤というわりに十四通とは少な過ぎるじゃないか、という意見もあるかもしれない。

しかし、ふだんの投書総数、〇〜二という微細な振幅の中で、細々と営業している者としては、十四通というのは〝メーターが振り切れた〟といってもいいほどの現象なので、多少の大仰な表現はカンベンしてやってください。

全国民のチューチューに対する関心の高さ、思い入れの深さを、膨大な投書の数によ

って、つくづく思い知らされたのであった。

と同時に「チューチューを語ることは日々の暮らしを語る」ということもわかった。

と同時に、「チューチューには数々の改良が加えられている」ということも判明した。

膨大な数の投書を、ひとつひとつ丹念に分析した結果わかった。

投書者は〝チューチューの中央のクビレ〟についてまず触れる。例外なく触れる。

チューチューのクビレ問題は、いまや全国全県的な規模のひろがりをみせつつあるもようであった。

チューチューの中央はなぜクビレているのか。

「チューチューは最初クビレていなかった」と証言する人もいる。

チューチューはいつごろからクビレ始めたのか。

その解明は、いずれ出現するであろうチューチュー研究家にゆずるとして、クビレ問題の解明を急ごう。

「チューチューの中央がクビレているのは、あそこを手でパキンと折って、一本を二本にして食べるためです」

という人が多かった。

とくに二児の母親に多かった。

「パキン」と折る、という人と「ペキン」と折るという人と「ペキッ」と折るという人と、音については様々な表現があった。

折り方にはコツがあって「一気に」というところが大切で、そうでないと「ビニールがビヨーンと伸びて結局刃物のやっかいになる」という人と、「ダラーンと伸びて手が汚れる」という人の二派に分かれるようであった。

折るときの掛け声については、男性は「アチョー」ないし「デヤー」。女性は「フンッ」

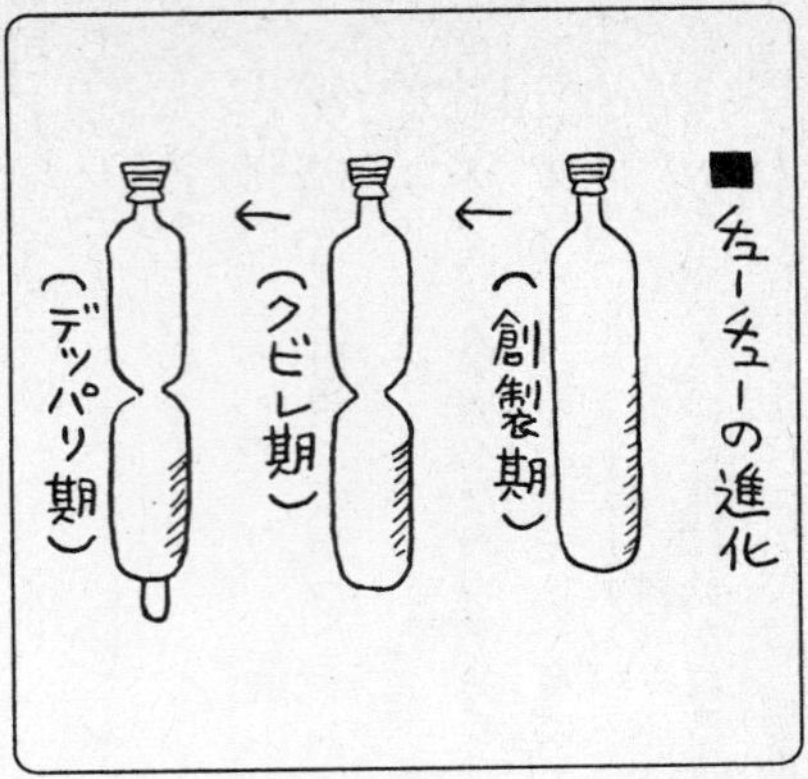

というものが多かった。

ここまでの分析で、チューチューについては、さまざまな流儀、流派があることが明らかになってきた。

音ひとつとっても、「パキン派」、「ペキン学派」などあり、掛け声についても、今後さまざまな流派が生まれるであろうことは想像にかたくない。

クビレは「折るためにある」ということは、もはや動かしがたい事実となった。

「そんなことも知らないで、よくもまあ『全チュー連』なんてことを言えると思う。チューチューをもっとよく勉強してから書きなさい」という女子大生からのお叱りもあった。

「もっとよく勉強しなければ」と、ぼくは固く心に誓うのだった。

「二つに折ったチューチューのどっちを取るか、で子供同士の争いが起こる」というのも今回明らかになった事実の一つである。

クビレはきちんと中央にあるのだが、上部のほうが「口元が突出している部分だけいくらか中身が多い」のが紛争の原因である。

子供の目はさすがスルドイ。

確かに三滴分ぐらい多いようだ。

この紛争に気づいたメーカーが「下部の部分の先端にも、上部と同様のデッパリを付けて平等を期した」、というのも今回判明した事実である。

メーカーは、クビレを付け、下部デッパリを付け、ひとつひとつ経済問題、紛争問題の解消に努力を傾けているのである。

チューチューとの対処の仕方にもさまざまな流派がある。大きく分けると、早期決着派、難渋至上主義、中間派の三つに大別されるようだ。

早期決着派は、ペキンと二つに折ってその折り口を「ガリガリかじる」。

「チューチューなんて吸っていられない」というのである。

早期決着派は、すなわちガリガリ派であった。

難渋至上主義は、「切り口もなるべく小さくし、色がなくなるまで、味がなくなるまで保たせる」ことに喜びを感じる一派である。

中間派は文字どおり、チューと吸ったり、ガリと嚙んだりするチューガリ派ということになる。

今回の投書事件は、全チュー連（全国チューチュー普及促進連盟）が今後とるべき方向を教えてくれた。

普及の促進に勇気を与えてくれた。

ブームの醸成には仕掛け人がいることは、いまや周知の事実である。

連盟としては、今後さまざまな仕掛けをして、その普及に努力していきたいと思う。

食べるだけでは、その消費量は高がしれている。投書者の中には「子供の発熱、やけど時のためにもぜひ常備を」と呼びかけている主婦もいる。そういう使い方もあるのだ。

健康雑誌「壮快」や「安心」などに投稿して、〝チューチュー足踏み健康法〟というのを載せてもらう。

〝チューチュー足踏み健康法で長年悩み続けた耳鳴り、目まい、夜間頻尿、飛蚊症がいっぺんに治った〟という副タイトルをつける。

一方、西村京太郎氏に、『チューチュー殺人事件』というのをシッピツしてもらう。

あるいは、『一杯のかけそば』の作者に『一本のチューチュー』というのをおねがいする。大晦日の夜、母子の三人づれが、とある一軒の駄菓子屋をおとずれる。

「三人で一本でいいですか……」

そうやってチューチューは、やがてコカ・コーラのように世界に進出していく。そのときのＣＭソングは、「チュチュッとさわやか」はどうか。

豚の尊顔を食す

（顔を食べてみたい）

という思いは、ずうっと前からあった。

だから、「真砂」のオヤジさんから、

「顔が手に入ったよ」

という電話がかかってきたときは勇み立った。

「顔が四枚も手に入ったんだよ」

オヤジさんは興奮している。

顔を〝四枚〟などという単位で数えていいのだろうか。

一瞬そう思ったが、とにもかくにも駆けつけてみなければなるまい。

「真砂」というのは料理店の名前である。

「顔」というのは、豚の顔のことである。

沖縄に行ったことがある人ならば知っているかもしれないが、沖縄では豚の顔を売っている。

豚の顔をお面のように剝がして売っている。

飴色をしたおいしそうな豚の顔が、肉屋の店頭にいくつも吊り下げられている。

あれはどうやって食べるのだろうか。

「真砂」のオヤジさんは、発泡スチロールの、宅配便の箱を前にして待ちかまえていた。

オヤジさんは当年六十七歳だが、好奇心旺盛な料理人だ。未知の素材に挑戦するのが大好きなのだ。

クール便の発泡スチロールの箱の中には、確かに四枚の豚の顔が詰めこんであった。店の常連が、沖縄旅行の途中で発見して送ってくれたのだそうだ。

一枚、取り出してみる。

顔の大きさ、タテ四十センチ。横ハバ三十五センチ、重さ一キロ。耳がかなりでかい。目のところには二つの裂け目があって、マツゲが少しこびりついている。鼻の部分には、きちんと二個の穴があいている。

一回、火を通してある。

「どうやって食べてみますかね」

オヤジさんは早くも、沖縄料理の本のページをめくっている。

①もう一度軽く火を通して、刻んで、甘めの酢味噌で和えて食べる。

②一時間ほど茹でて、塩、胡椒の油炒めで食べる。

という二つの方法で食べてみることになった。

とりあえず、二つの大きな耳を包丁でちょん切る。

豚の耳は、台湾料理などで食べたことがある人は多いと思う。軟骨が入っていてコリコリしてウマイ。

豚のモモ肉とかロースとかは、食べていても何の罪の意識も感じないが、例えば「豚《とん》足《そく》」と呼ばれている足のところにコリコリと齧《かじ》りついているときは、いささかそういうものを感じる。

齧っていて、なんだかミジメな気もする。ハイエナならいざしらず（人間でありながら）と思うと少し情けない気もする。

耳にもそういうところがある。

コリコリと齧っていると、何だかうしろめたい。耳の場合はそれに加えて、食味とはまた別の〝エロスの境地〟とでもいうようなものをおぼえる。

豚の耳をコリコリと嚙みながら、ウットリした表情をしている人をよく見かける。

さて、顔である。

顔は尊顔というくらいだから、粗末にしていいはずはない。

その顔に、面と向かい合うわけだから、決していい気持ちはしない。

しかも顔は、足や耳とちがって、当人そのものである。足や耳でさえ、うしろめたい思いがするくらいだから、当人そのものに面と向かい合うのは何だかきまりがわるい。きまりのわるい思いをしながら耳をちょんぎる。

皮の厚さ、およそ二センチ。

いちばんの表面は二ミリほどの飴色の皮で、その下は白いゼラチンと脂肪の入り混ったもののようだ。

モチモチした感じでいかにもウマそうだ。

顔の裏側は、灰色の脂肪が薄く貼りついているだけだ。

顔の表側はいつでも見られるが〝顔の裏側〟に生まれて初めてお目にかかった。〝裏の顔〟は、意外に単純なものであった。

顔の最下端の、二つの穴のあいた鼻をちょん切るときは、耳をちょん切るときとはまたちがった、（すまない）という気持ちになるのだった。

と同時に、（この鼻はいかにもウマそうだ）と思うのだった。

①の酢味噌和えを食べてみる。

耳のところは、以前に食べたときと同じ歯ざわりだが、耳から顔に移行していくあたりの味の変化がおもしろい。

コリコリが次第になくなって、頬のあたりになると歯ざわりが変わる。コキコキ、サクサクという感じのゼラチン＋《プラス》脂肪になり、うん、そう、鯨のベーコンのスジのあたりの感触に少し似ている。モツの味わいにも似ている。飴色の皮の下の白い部分は、ゼラチン70％、脂肪30％といった比率の両者の混合体のようだ。

②の塩・胡椒炒めにすると、がぜん味が変わる。一時間茹でた分だけかなり柔らかくなる。餅のようにモチモチしたものになって、〝コシのある脂肪〟といった味わいになる。

黄ニラとモヤシといっしょに、塩、胡椒だけで白っぽく仕上がった一品は、あるときは耳のコリコリ、あるときは鼻のシコシコ、またあるときは頬のトロトロといった具合に、脂肪好きにはこたえられない料理となった。

この巨大な豚の顔、沖縄で一枚いくらぐらいすると思います？

何と、一枚三百円なのだそうだ。

一枚もらって帰り、刻んで九州トンコツ白濁スープラーメンに入れて食べたら、「うみゃーてかんわ」と、名古屋風に感動してしまった。

肉うどんを作ってこれに入れて食べたら「ウマすぎるんでないかい」と北海道風に感嘆してしまった。

特にトンコツラーメンの場合は、白濁スープとトロトロ脂肪の境目が判然としないままノドの奥に流れこんでいき、「たまらね」と東北風に天をあおいだのであった。

夜の競馬場では……

「会社の帰りにちょっと競馬を」

ということが可能になった。

大井競馬場が、夏場だけ〝トゥインクルレース〟というものを開催している。夜の八時過ぎまで、デンキをつけて馬を走らせているのだ。

馬も、夜中まで走らされるとは思ってもみなかったにちがいない。

会社が終わってから急いで駆けつければ、四レースは楽しむことができる。

というわけで、会社が終わってからサラリーマンが駆けつけてくるようになった。ＯＬも駆けつけてくるようになった。

急いで駆けつけてくるので、サラリーマンもＯＬも、競馬場で夕メシを食べることになる。競馬をやりながら、食べることになる。

〃新聞を見ながらメシを食う〃のは、世間一般では御法度である。

いちばんいけない食事のマナーだと言われている。

しかし、ここ大井競馬場では、全員が新聞を見ながら夕メシを食べている。

焼きそば、おにぎり、カツ丼を食べている。

食堂で、あるいは広場のベンチに腰をかけ、夕陽を浴びながらビールを飲み、スパゲティを頬ばり、新聞を食い入るように読んでいる。

新聞というものは、ふつ

う、世間一般、森羅万象が書かれてあるものだが、ここで読まれている新聞は非常に特殊な新聞である。

馬のことしか書いてない。

馬のことといっても、馬全般のことではなく、馬の特殊な部分にしか触れていない。「馬はかわいい」とか「馬は利口だ」とか「馬肉はおいしい」とかいったことには一切触れていない。

その新聞の読み方も、ただ漫然と眺めているというわけではない。

カレーを口に放り込みながら、ハゲシク検討しているのである。

ハゲシク検討し、スルドク分析し、キビシク迷い、キッパリと決断しなければならない。

競馬新聞の記者ほど、記者冥利に尽きる新聞記者はいないと言われている。これほどスミズミまで徹底的に熟読玩味される新聞はほかにないのだ。

それにしても、世の中でこれほど値段の高い新聞はありませんね。

見開き四ページだけの新聞が四百円。一ページ百円。半ページ五十円。

見ていると、毎レース買う人は少なく、夕メシを食べながらせいぜい二レースという人が多い。

観客は、スタンドか、馬場の中か、そのどちらかに陣取る。

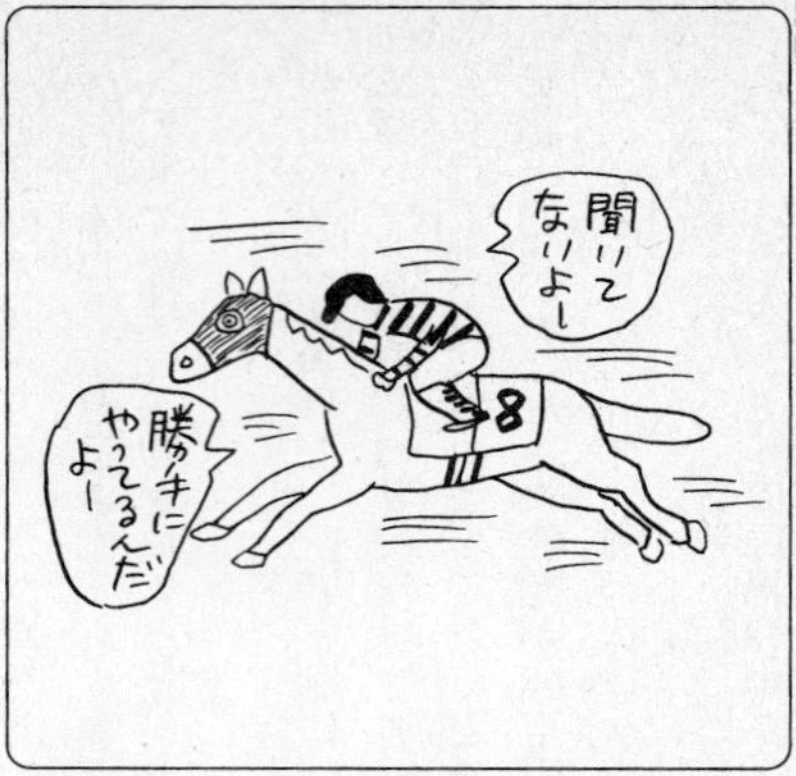

馬場のほうはびっくりするほど広い。馬場の一周は一・六キロ。国立競技場の四倍の広さだという。

その内側のレストゾーンと称するエリアは、一万人を擁してなお余りある。ここで人々は、紙コップのビールを飲みながら、焼きそばを頬ばりながら、馬が走るのを間近に見物し、ときには馬券を買ったりする。

すぐ近くの海から吹き渡ってくる風が頬に心地よい。

夕涼みがてら、夕食がてら、ビヤホール代わりに利用している人も多い。

子供づれでやってきて、ビニールシートを敷き、持参の氷とウイスキーと弁当でピクニック気分の一家もいる。

こういう一家は、おとうさんが一応競馬新聞を見てはいるが馬券は買わない。気分だけを楽しんでいるようだ。

おとうさんとしては、一回ぐらいは買いたいのだが、おかあさんが監視しているので買えないのだ。

広場のほうはニューファミリー、ニュー競馬ファン、OL、ギャルといった若い雰囲気に満ちているが、スタンドの奥の食堂のほうになると様子が変わる。

突然、モツ煮こみ、豚汁、さば味噌煮、牛丼、冷やしトマト、ひじき、いわしフライの雰囲気になる。

昔のままの、耳に赤エンピツ、腰に手ぬぐいの、オールドスタイルの競馬ファンが似合う雰囲気になる。

ここでは紙コップの生ビールより、茶色い大ビンのビールが似合う。

大井競馬場は、古今両方のファンを受け入れる懐の深さを見せているのだ。

それにしても、競馬というものは当たるものではありませんね。

ぼくもこの日四レース試みて一つも当たりませんでした。

「他人というものは信用できないものだ」というのが世間一般の常識だ。

その常識が、競馬場に来ると一挙にくずれる。

他人が信用できないくらいだから、馬はもっと信用できないはずだ。

その他人が書いた予想記事を信用して馬券を買う。

信用できない馬に、信用できない他人が乗っかって、大勢で駆け出していくのだから、その結果はこっちが予想したとおりになるわけがない。

向こうとしては、何着になろうが責任を取らされるわけではないから、何着になろうが勝手だ。

それなのにこっちは信用しきって「頼むぞ」なんて言っているが、向こうとしては頼まれた覚えはツユほどもない。まさに、

「聞いてないよー」

という状況なのだ。

よく考えてみれば、みんなが予想したとおりにレースが展開するならば、競馬というものは成り立たないわけだ。

それでも人々は馬券を買う。

「当たれ」と念じて買う。

もともと祈念というものは、それなりの犠牲を伴うものだ。滝に打たれたり、お百度参りをしたりして念じるものなのだ。茶断ち、酒断ちは常識の世界だ。

なのにここにいる人々は、ウーロン茶を飲み、ビールを飲み、焼きそばを食べながら「当たれ」と念じているのである。当たるわけがないのだ。

それでも少数の当たる人はいる。

帰りに、勝ち馬投票券自動支払い機の前を通ると、当たった人々の長い行列があった。長い行列に押しあいへしあいしながらも、ニコニコ、ニコニコと、笑顔が絶えない和気あいあいの行列であった。

気分愉快的輪状菓子《ドーナツ》

ドーナツをモクモクと噛みしめていると何だか楽しい。

自然に笑みがこぼれる。

お茶づけはサラサラ。

センベイはバリバリ。

ドーナツはモクモク。

カステラなんかも、どちらかというとモクモクのクチだが、ドーナツのモクモクはカステラのモクモクと少しちがう。

楽しさがひと味ちがう。

なにしろドーナツはワッカですからね。ワッカが嬉しい。

ただの直方体とワッカじゃ勝負にならない。

なんというか、こう、遊戯性がある。オモチャ感覚がある。童話的である。

ドーナツのワッカの右側のところを、右手の親指と人さし指でつまんで持ってください。

そうすると、ドーナツの重心が左側にきますね。

左側にきてた側がほんの少したわむ。

このたわみがすでにして嬉しい。

バランスの不均衡がなぜか楽しい。

指で強く圧すれば、ホロリとこわれそうなもろさもいい。

保護者意識をかきたてられる。

男なら父性愛、女なら母性愛を感じるはずだ。

ドーナツを手に持って、そういう愛を感じない人は異常である。（どっちが？）

アメ色というか、褐色というか、コゲ茶というか、程よく揚がった小麦粉の輪の上に、点々と白い砂糖の粒。

プンと立ち昇ってくるこの香りがたまりませんね。

タネも仕掛けもない、粉と卵と油と砂糖のやりとりだけなのに、とてもそれだけとは思えないこの魅力的な香り。小麦粉を「揚げる」ということを、思いついた人類の知恵に、思わず感謝したくなるような香りだ。

ここでですね、手でちぎって口の中に放りこんで食べる人がいるが、そういう人は人間じゃない。

ドーナツは口でパクリ。

嚙み取った残りが手にブラブラ。

ここのところの楽しさがわからない人は人間じゃない。

ドーナツはチビチビ食べるとおいしくない。

ある程度の量が口の中にあって初めてドーナツの味になる。

モクモク、モクモクということになる。

ショートケーキのように、口の中であれこれ味の変化が起きるわけではない。いつまでたっても均質な味がモクモクと続くわけだが、その味の同調を心静かに楽しめる。

そうやって、ある程度モクモクしたあと、ウックンと飲みこむわけだが、このときドーナツ特有の〝ノド詰まり感〟がある。

ノドのところでドーナツが抵抗を示すわけですね。

だから、少し力をこめてウックンと飲みこまなければならない。

このとき、スポンジ状のものが、ノドの天井や周壁をこすっていく擦過感もドーナツ独得のものだ。

うん、そう、ヤキイモにもこのウックン感はある。

ヤキイモの場合は、このウックンのときに多少のアワテ感もある。

もし、このカタマリがノドを通過しなかったらどうしよう、ノドに詰まったらどうしようというアワテ感である。

ドーナツのほうにはそれはない。

むしろ悠々と擦過感を楽しむことができる。

ドーナツのおいしさは、食べ物に十分唾液がまわりきらないおいしさである。

モクモクは、スポンジ状のものに唾液を混じりこませる作業なのだ。

だが相手はスポンジだから、容易には唾液で湿ってくれない。

ドーナツのおいしさは、なかなか湿らないおいしさなのである。

なかなか湿らないやつを、モクモク、モクモクと噛んでるところが、ドーナツの楽しいところなのである。

そして、十分湿りきらないうちにノドの奥に送りこむから、そこのところでいつもつっかえることになる。

ドーナツはあとをひく。一個、二個と食べ、カロリーも多いし、もうやめようと思いつつ、ついもう一個に手が出る。

プレスリー氏も、そうやって太ってしまったにちがいない。

その思いを断ちきるのが、あたりに散った砂糖の粒だ。

ドーナツを食べていると、手にもヒザにもテーブルの上にも砂糖の粒が点々と増えていく。

「もう一個」の思いを断ちきるように両手の手のヒラを、互いちがいにたたいて手の砂糖をふり払う。

夢からさめたようにふり払う。

犬にエサをやっていて、「もう、おしまい」というときにするあの動作ですね。

それからヒザの上の砂糖もふり払う。手を払い、ヒザを払い、改めてもう一度、〝これでオシマイ、チャンチャン〟の儀式を行う。

この「おしまい感」「キッパリ感」もドーナツ独得のものだ。

この儀式も、ドーナツからこぼれ落ちた砂糖があってこそ成り立つ。

砂糖がなければチャンチャンができない。

全然砂糖のかかってないドーナツもあるが、ドーナツには是非砂糖をふりかけてもらいたい。

菓子のたぐいでありながら、ファーストフードのチェーン店を成り立たせているのはドーナツだけだ。

「ミスタードーナツ」「ダンキンドーナツ」の進出は最近めざましい。

「ミスタードーナツ」も、「マクドナルド」のように、いずれ中国にも進出していくにちがいない。

「マクドナルド」は「麥當勞」という名前で進出していった。

「コカ・コーラ」は、「可口可楽」として進出していった。
「ミスタードーナツ」にはどういう漢字が当てられるのだろうか。
「胴納豆殿」なんてことになるのだろうか。
解説としては「輪状極甘気分愉快的米籍肥満警戒菓子」なんてことになるのだろうか。

納豆巻きは中巻きこそ

食べ物の〝口中容積率〟ということを考えたことがありますか。

口の中に、量がどのぐらいあったらその食べ物がいちばんおいしいか。

そのもの本来の味をいちばん引き出せるか。

果物で言えば、スイカは口一杯に頰ばったほうがおいしいが、柿は口一杯ではおいしくない。

山登りのおにぎりは、大きくかぶりついたほうがおいしいが、茶わんのゴハンは少量がおいしい。

シュウマイやタコヤキなどは、最初からそのへんの大きさを計算して作られている。

あの大きさがいちばんおいしく、いちばんそのものの味を引き出している。

あれ以上でも、あれ以下でもおいしくないにちがいない。

ワサビ漬けをシュウマイの大きさに丸めて食べたらどういうことになるか。

寿司の鉄火巻きは、指でヒョイとつまんでポイと口の中に放り込むところにおいしさがある。

動作の中においしさがある。

ところが、同じ細巻き仲間の納豆巻きになると事情は変わってくる。

納豆巻きに限っては、これはもう、断然中巻《ちゅうま》きがおいしい。

中巻きというのは、細巻きと太巻きの中間で、寿司屋でお目にかかることはめったにない。

なぜないかというと、中巻きを作ると一枚の海苔に半端が出る。

太巻きは海苔一枚、細巻きはその半分で作るが、中巻きは中途半端な大きさなので海苔のムダができる。

多分それが寿司屋に中巻きがない理由だと思うが、もし違うとここから先の話が進まなくなるので、事実関係はわざと調べずに話を進めることにする。

中巻きは、「京樽」「小僧寿司」「日の出寿司」「茶月」などの、テイクアウトの寿司店が発生したのと同時に発生したようだ。

多分そうだと思うが、もし違うとこの話が進まなくなるので、事実関係はわざと調べずに話を進めることにする。

ぼくは好きですね、中巻き。

太巻きは、かぶりつくとボロボロこぼれ落ちて食べにくく、細巻きは、口中容積率が小さすぎて物足りない。

そこへいくと、中巻きはその中間。

中肉中背。小太り。ずんぐりむっくり。寸づまり。

まことに好ましく、愛嬌のある体型をしている。手に持った重さも心地よく、思わず振ってみたくなる。太さも人間の口の大きさにちょうど合う。

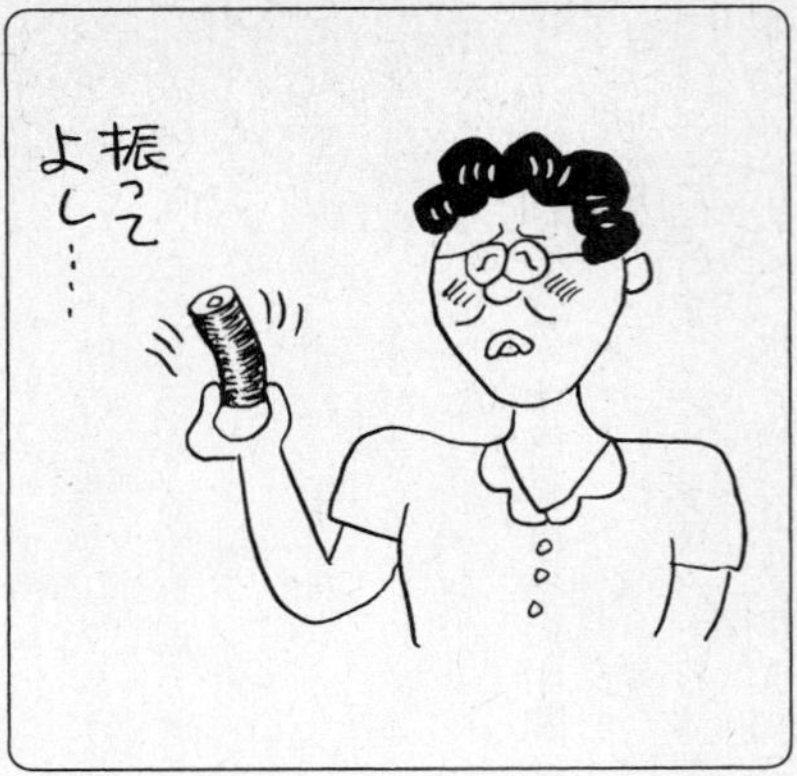

持ってよし、眺めてよし、くわえてよし、噛んでよし、振ってよし、かついでよし（かついじゃいけないナ）、飲みこんでよし、文句をつけるところがない。

寿司屋が、海苔の半端を嫌って中巻きを作らないのに、なぜテイクアウトの寿司屋は作るのか。それは多分、チェーン店の強みで、中巻き用の大きさの海苔を特別発注するからではないだろうか。

そういうことにして話を進める。

海苔の歴史上、それまでになかった大きさの海苔を作ってまで、なぜ中巻きを作るのか。

それは、やはりそれだけ中巻きの人気が高いからにちがいない。

中巻きを食べたい人が、それほど多いということにほかならない。

食味もさることながら、持ってよし、振ってよし、かついでよしという触感も、その人気に大いに貢献しているはずだ。

だから、店で中巻きを買うとき、「切りますか」と訊かれることがあるが、絶対に切ってもらってはいけない。

切ってしまったら、あとで〝振る〟ことができない。

中巻きを手に持って、口をあんぐりとあけてパクリとやるときの、あのパクリ感……。

数あるパクリ感の中でも、中巻きのパクリ感は秀逸である。

しかも、口中容積率を自在に調節できる。

中巻きには、鉄火、ネギトロ、アナゴ、イカメンタイなどあるが、中でも納豆巻きのパクリ感がいい。

そしてまた、醬油が実によく合うんですね、納豆巻きは。

納豆が、中巻きの海苔とゴハンの間にじーっとひそんでいて、じーっと醬油を待っていた、そういう気がする。

だから、納豆巻きに醬油をつけてやったときの納豆の嬉しそうなこと。納豆巻きに醬油をつけるにはちゃんとした流儀がある。

小皿には醬油をほんの少量。

ここのところへ、納豆巻きの切り口をぎゅっと押しつける。ぎゅっと、ですよ。

ぼくは、人生の楽しみはそれほど多くはない人間だが、この、〝醬油に納豆巻きをぎゅっと押しつけるとき〟にはつくづくそれを感じる。

押しつけながらしみじみと感じる。

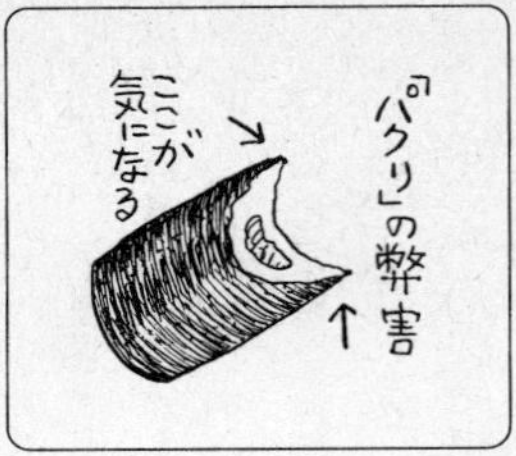

だいたい納豆というものは、どちらかというと〝好き勝手をやっている〟奴だ。

ゴハンにのせれば、ニュルニュルと、好き勝手なところへ行く。

「盛りつけ」ということをされたことがない。タクアンやキュウリの糠《ぬか》漬けでさえ、ナナメにずらしたりして盛りつけられるが、納豆はそういう目にあったことが一度もない。

人間の制御がゆきとどかないことをいいことに、好き勝手をやらせてもらっているのだ。

そういうわがままな奴が、納豆巻きに限って、あの中でじーっとしている。じーっとひそんで動かない。

よっぽど居心地がいいにちがいない。〝所を得た〟という気がしているにちがいない。

人間のほうも、納豆をゴハンにかけて食べるときはいろいろ気をつかう。

とかく、ネバネバが手につきがちだから、さまざまな配慮をする。気がかりが伴う。

ところが納豆巻きに限っては、そうした配慮、気がかりが要らない。

配慮、気がかり一切なしで、納豆とゴハンを食べることができる。

パクリがいっそう爽快になるゆえんである。

200㎖パック飲料の疑心暗鬼

その昔〝三角形の紙パック牛乳〟というものがありましたよね。

パン屋さんとか、駅のホームの売店でも売っていたような気がする。

「学校給食の牛乳がテトラパックだった」

という人も多い。

最近、あれを全然見かけなくなってしまったが、どうして消えてしまったのだろう。

「やっぱり形が不自然だったからじゃないスか」

と言う人もいるが、だったらなぜ、あんな不自然な形のパックを、わざわざ作ったのだろう。

箱というものは、方形のほうが作りやすく、輸送に際しても積みこみやすいはずではないか。

あの懐かしの三角牛乳、ぼくはわりに好きでしたね。

細くて短いストローで、丸い小さな穴のところを突《つ》いたりして、なにかこうコソコソしていじましい感じが好きでした。

いまはもう全部四角になった。

テトラパックは180mlだったと思うがいまのは200ml。牛乳以外に、オレンジジュース、野菜ジュース、ウーロン茶、日本茶まである。

全員、背中のところに、ナナメ、たすきがけでストローを背負っている。

全員、佐々木小次郎みたいで勇ましい。

いまのストローは、二段式ないし、折れ曲がり方式で、箱の長さ以上に長くなる。二段式が現れる以前はストローが短すぎた。ストローを箱に差し込むと、ストローの先が箱から一cmぐらいしか出なかった。

この一cmのところに、親指と人差し指をあてがい、さらにそこに唇も参加させるから、そのポーズのいじまし指数はかなり高かった。

同じ200mlものでも、缶ものはリングを引っぱるだけで飲むことができる。

紙パックものはそうはいかない。

一手間、二手間どころではない。

まず、背中のストローをぴりりと引きはがす。(一手間)

次に、ストローをおおっているビニール袋をプスリと突き破る。(二手間)

二段式ストローをグイと引っぱって引きのばす。(三手間)

箱のストロー用小穴の紙ブタをペリリとはがす。(四手間)

ストローの先端をピタリと小穴にあてがう。(五手間)

ブスリと突き破る。(六手間)

ストローをスルスルと押し込む。(七手間)

フシをつけて英語で歌うと、

〽ワンピリ、ツープス、スリーグイ、フォーペリ、ファイブピタ、シックスブス、セブンスルースルー

ということになる。

セブンとスルースルーの間を少しあけると歌いやすいかもしれない。

実に七手間。七手間後にようやく飲み物がノドに入ってくる。

〝シックスブス〟のとき、突き破った丸い銀紙の薄片が、ストローを通して入ってきて、グエッとならないか、心配する人もいる。

しかし、ぼくが研究したところによると、あの薄片は切りとられることなく、下側に垂れ下がるだけのようだ。

ストローを突き差し、やれやれ、なんて言って安心して吸い込んでいると、突然、ズズズと音がして吸いこみが中断することがある。

ストローの挿入が中途までで、吸っているうちに水面が、ストローの先端より下に下がってしまったのだ。

これが「第一ズズ期」である。

あわててストローを箱の底面に到達せしめ、こんどこそもう安心、と吸い続けていると、またしても、ズズズ、という音がする。

内容量がほとんどなくなったことを知らせる「第二ズズ期」である。

そこで、箱をナナメにして、さらに残量をあさっていると、こんどは本格的な大ズズがくる。

これが世に名高い「第三ズズ期」である。

たいていの人はここで諦める。

しかし、なお諦めない人は、箱の底面のコーナーをさらにナナメにして「第四ズズ期」までもっていく人もいる。

「いや、わたしは第十一ズズ期までもっていきます」

と言う人もいる。（いないよね）

喫茶店などで、ジュースなどをストローで飲んでいて、ズズズ、と音をたてるのは恥ずかしいこととされている。

だから、200㎖の箱ものを飲んでいても、いつズズが来るか気が気ではない。

ストローで吸いながらも、そういう気がかり、心労が絶えない。

ある〝200㎖箱物研究家〟は、

「ストローですすっている人の顔は疑心暗鬼に満ちている」

という名言を吐いている。

確かに、箱を左手に持ち、右手の親指と人差し指でストローをはさみ、うつ向きかげん、上目づかいの表情には、憂慮と心労の暗い影がさしている。

自動販売機などの缶ものは、350mℓ、250mℓのものが多い。

ふだんそういう量を飲み慣れている人にとって、200mℓはいかにも少ない。

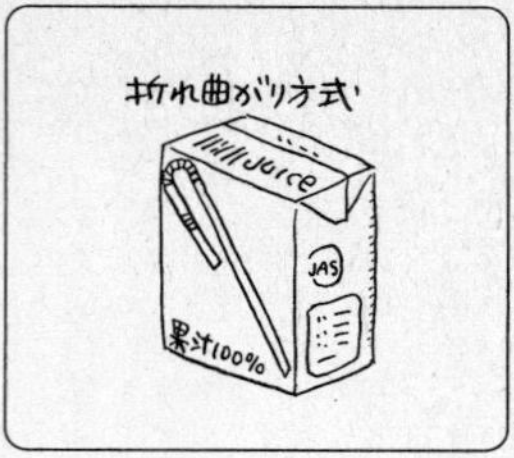

(まだ十分あるはずだ)と思っているうちに、あっというまになくなってしまう。

だから、200mℓものを飲み終えた人はたいてい小首をかしげる。不首尾、残念、といった表情になる。

ある〝200mℓ箱物投げ捨て研究家〟は、クズカゴに投げ捨てるとき、

「缶ものよりも動作が荒々しい」

という研究結果を発表している。

なにかこう、〝してやられた〟という気持ちになるのかもしれない。

このように、200mℓものは、飲んでいても心労が絶えず、飲み終えても気持ちがスッキリしない。

健康によくないにちがいない。

こんなちっぽけなもので、こんなにも神経をすり減らしてしまっては、とても長生きなどできませんね。

きんさん、ぎんさんは、200㎖ものをどう考えているのか、200㎖ものに日常どう対応しているのか、一度訊いてみたい気がする。

マクドナルドの壁

たとえばマクドナルドのカウンターでハンバーガーを受けとったら、さて、それをどこにすわって食べるか。

テーブルを選ぶか、壁ぎわに沿った細長いカウンターを選ぶか。

ぼくだったら、迷わずカウンターを選びますね。

壁ぎわは、なんといっても心が落ちつく。

たとえマクドナルドであっても、店に入った瞬間から、店内の人々との、目に見えない人間関係が発生している。

いま発生していなくても、これから発生する可能性がある。

手に持っているトレイが、前の人の体にあたれば、たちまち「すみません」という人間関係が発生する。

ひたすら壁を見つめながら
別になにかあるわけではないが……

壁ぎわは、そういうわずらわしい人間関係からいっさい解放される。

壁ぎわにすわったとたん、

（ここから先は勝手にやるんだからねー）

と言いたい気持ちになる。

あれは一種の個室なんですね。

幻の個室。

とりあえず正面には誰もいない。

うしろは見えないから気にならない。

両わきに、人はいることはいるのだがいないことにする。

あるいは、目に見えない仕切りで仕切ってあることにする。

選挙の投票所の記載所の仕切り、あれがあることにする。

幻のエアカーテンですね。

さあ、こうなったら勝手にやらせてもらう。

靴まで脱いで上がりこんだりはしないが、とりあえず持っていたハンバーガーのトレイを置き、位置など正し、紙袋のたぐいは足元のところに並べて立てかけ、本のたぐいはトレイの右側、女の人ならハンドバッグをしかるべきところに置き、なんとなく〝設営〟という感覚になる。

これからここで暮らすわけではないが、ほんの少しの間（暮らすんだ）という気持ちになる。

そうして、ホッと落ちついて、壁に向かってハンバーガーを食べ始める。

正面の壁が頼もしい。物言わぬ壁が、このときほど頼もしく見えることはない。

これから先、少しの間、（頼むぞ）という気持ちになる。

安部公房氏の『壁』という小説の中に、
壁よ
私はおまえの偉大ないとなみを頌《ほ》める
という詩句が出てくる。何を営んでいるのかしらないが、壁をじっと見ていると、やはり何か営んでいるんだなあ、という気がしてくる。

壁ぎわの人々は、まん中のテーブルの人々より、いくらかイジケタ感じがあるのはいなめない。

正々堂々、という感じはしない。

叱られた子供、あるいは、反省する人、そういうイメージが、そのうしろ姿からは感じられる。

だいたい、マクドナルドでいつも壁ぎわを選ぶ人は、どこへ行っても壁ぎわとか、隅っことかを選ぶようだ。
喫茶店、電車、いずれもそうだし、お花見のムシロなんかでも、角のところを選んですわったりする。
それが彼の生き方であり、そこがいちばん居心地がいいのだ。
際《きわ》とか隅《すみ》には、一種の治外法権的な位置づけがなされている。

その場が持っている拘束力から、一番遠い所が際と隅だ。

マクドナルドでも、

「あの人は、ああして壁ぎわに行ってしまったんでは、もうどうしようもないなー」

という見方をされる。

多少の長居、多少の不作法も見逃してもらえる。

それでも一応の壁ぎわのエチケットというものはある。

いくらか沈んだ感じで、ひっそりと憂いに沈んでいる、という態度が望ましい。

壁ぎわで、一人ではしゃいだりするのは、むろんルール違反である。できれば〝壁化している〟という状態が最も望ましい。

こういう人々に対しては、まわりの人もそれなりの対応が要求される。

こういう人々には、たとえ知っている人でも声をかけてはならない。

本人は、すっかり世俗を断ち、隠遁生活に入っているつもりなのだから、そういうときに不意に声をかけられると飛びあがって驚く。

マクドナルドのカウンターで、ハンバーガーやらポテトやらコーヒーやらを載せたトレイを受けとって手に持ち、居場所を求めて散っていく人々を見ていると、エサをかついで穴を求めて行進していくアリが想像されてならない。

野良猫にエサをやると、パッとくわえて物陰を求めて走っていくが、ああいう光景も想像されてならない。

ハンバーガーをくわえこそしないが、手に持って、〝物陰〟を物色しているわけだ。

壁ぎわの人々にとっては、壁ぎわこそがいちばん安全な物陰なのだ。

野良猫の場合は、追いかけていって物陰で食べているところを突《つつ》いたりすると「ウーッ」となるが、マクドナルドの壁ぎわの人も、突いたりすれば、振りかえって「ウーッ」となるはずだ。

中には、飛びかかってきてツメでひっかく人もいるかもしれない。

だから、ああいう壁ぎわの人たちの背中を、決して突いたりしてはいけませんよ。

大晦日が近くなってくると、スーパーからトイレットペーパーや大根やキャベツや、ネギやハムやらの大荷物を両手に持った人々が、次から次へとワラワラ出てきて、それぞれの家路を急ぐ光景が見られるが、あれを見ていると、アリも人間も少しも変わらないなあ、と、いつも思いますね。

松茸食べ放題の真実

一般の人は知らないと思うが、「日本ウヘエ大会」という競技会がある。ぼくはその大会の総裁を長年つとめさせていただいている。

「日本ウヘエ大会」の優勝者は、ここ数年松茸で、準優勝はカズノコである。

もうおわかりだと思うが、「日本ウヘエ大会」というのは、その値段のあまりの高さ、あまりのバカバカしさに、みんなが「ウヘエー」と驚くところからその名が付いたものだ。

総裁のところには、全国の松茸に関する大抵の行事から、お呼びがかかることになっている。

ところが、東京は赤坂の「松葉屋」なるところで「松茸食べ放題五千円」なる催しが開かれているというのにいっこうにお呼びがかからない。

しかたなく、総裁は、副総裁を伴って出かけて行った。

聞くところによると、この催しものは、連日大行列の大盛況だそうだ。

なにしろ〝松茸食べ放題〟。さつま芋の食べ放題とわけがちがう。

「食べ放題ということは、結局いくら食べてもいい、という意味だよね」

総裁は副総裁にたずねる。

「それ以外の意味はないと思いますが」

これまで、はっきり論理的に把握していた言葉でありながら、〝食べ放題〟の上に〝松茸〟をもってくると、とたんに意味がわからなくなってしまうなど、松茸様の威光はすごい。

地下鉄赤坂見附の駅から歩いて三分の「松葉屋」の前には、すでに九名の行列ができている。

開店は五時。いまは四時四十五分だ。

道行く人が、「ナンダベ?」というふうにわが行列をのぞきこむ。

すると店頭の「松茸食べ放題、先着56名様にて終らさせていただきます」のプレートに視線が行き、合点が行き、ナーンダ、こいつら食べ放題の連中か、という表情になって立ち去っていく。総裁は恥ずかしい。

「松葉屋」は、松茸専門の割烹料理店だ。

店頭では、ワンパック千円の松茸、松茸佃煮などを売っている。

〝食べ放題〟ではあるが制限時間がある。制限時間は一時間かっきりだ。

五時ジャスト、入場許可。粛々と行列は店内に行進していく。

恥ずかしいような、晴れがましいような気持ちになって、総裁は思わず〝オイッチニ〟をしてしまった。

店内は、テーブルとカウンターで28席。〝56名〟という半端な数字のナゾがここで解明されたわけだ。

テーブルの上には七輪。七輪には炭。炭はすでに火。七輪の上に金網。スタンバイOK。なのに料理がなかなかこない。端から配っていくから行きわたるのに時間がかかるのだ。

　客の息があがっている。

　ショートゴロを打ったら、ショート一塁へ悪送球で二塁へ駆けこんだばかりの走者の鼻息だ。

キミね
松茸だけは
食べすぎる
もんじゃ
ないよ
ブフッ

　なにしろ制限時間がある。

　五時九分、ああ、ついに松様御到着。

　走者は一挙三塁へ。

　直径約二十センチのザルの上に、丸ごとではなく、こまかく裂かれた松茸と牛肉とカボチャとシシトウとスダチ。

　松茸は約七十グラムで、かなり大きめの松茸二本分に相当するという。

　しかし、この九分の遅れはどうなるのだろうか。

　総裁の目が険しく光る。

　その険しい目を察知して、店員が、「ただいま五時九分ですので、制限時間六時九分ということになります」。

総裁の目から急に光が消える。

ドドッ、という感じで、店内の客がいっせいに松茸を七輪にのせる。

松茸をのせ終えた客は、それをじっと見守る。肩に力が入っている。息を殺している。

「焼けたかな」と思うまでに約四分かかる。一回分を食べ終えるのに約十分かかることがわかった。ということは、六十分間、息もつがずに休みなく食べて六皿（ザル）ということもわかった。

店頭で売っていた、ワンパック千円の松茸の量と、一回分の松茸の量が大体同じだ。ということは五皿食べてモト、ということになる。

しかし、この食べ放題には、突き出し一皿と、松茸ごはんと、松茸の吸い物と香の物がつく。

牛肉とカボチャとシシトウとスダチの値段をどう評価するか。

総裁の頭は千々に乱れる。

しかし乱れている場合ではない。

松茸は生姜醤油で食べる。

この松茸は中国産だそうで、香りはあまりないが、シャキシャキした歯ざわりはなかなかのものだ。

店内には二十八名もの客がいるというのに静かだ。

会話どころではないのだ。

牛肉だって、なかなかよさそうな牛肉なのだが、牛肉どころではないのだ。

一皿食べ終えると、申請せずとも店員が黙って追加してくれる。最初のうちは、ひと切れひと切れ、タレにひたして味わっていたが、そのうち〝三切れまとめ食い〟というのを覚えた。

そのうち増長して〝十切れまとめ食い〟になり、一、二切れ、テーブルの下に取り落としても気にならなくなった。

十切れまとめ食いを会得してからはハカがいくようになった。しかし、それに気づいたのは、終了時間十五分前で、ようやく四皿を食べ終えたところだった。(早く気づけばよかった)

だが、正直言って、三皿目あたりで同じ味の松茸に飽きた。

それに、寸秒も休まず嚙み続けたアゴが疲れた。

それに、寸秒も休まず焼き続けた腕が疲れた。

寸秒も休まず食べ続けて、食べすぎによる下痢の心配もある。

すなわち、おそらく一生に一度しか口にできないであろう次の四つのセリフを口にすることができたのである。

「松茸、食べ飽きちゃってねえ」

「松茸でアゴが疲れちゃってねえ」

「松茸で腕が疲れちゃってねえ」

「松茸で下痢の心配しちゃってねえ」

佃煮の処世

若い人たちには笑われるかもしれないが、ぼくらの世代の遊びに「いたいた遊び」というのがある。

酒席などで、かなり酔ってきてからやると座がひとしきり盛りあがる。

実にもう他愛ない遊びで、自分たちが子供のころのプロ野球選手に、「こういう選手がいた」という遊びなのだ。

一人が選手の名前を挙げると、みんなが「いた、いた」と言って喜ぶ。

「いた」の一言の中に、共通の時代を生きた共通の思い出がある。

「いた、いた」と言い合うことによって、共感を分かち合うことができる。

ゲームは次のように展開する。

「赤バット川上《かわかみ》。青バット大下《おおした》」

「いた、いた」

「七色の変化球、阪神の若《わか》林《ばやし》投手」

「いた、いた」

「懸河のごときドロップ（わからなくていいからね）、真田《さなだ》重蔵《じゅうぞう》投手」

「いた、いた」

「塀際の魔術師、巨人の平《ひら》山《やま》外野手」

「いた、いた」

「『南海』の牛若丸、木塚《きづか》忠助《ただすけ》遊撃手」

「いた、いた」

この「いた、いた」のところで、手を打たんばかりに喜ぶ。本当に、わけもなく嬉しいのである。

「物干し竿、藤村《ふじむら》（兄）」「いた、いた」「土井垣武《どいがきたけし》」「いた、いた」「スタルヒン」「いたいた」

と、夜の更けるまで続く。

宝塚のファンも、こういう遊びをすると伝え聞く。

さて、急に佃煮である。

佃煮は、最近あんまり人気がない。

佃煮はある時期、一世を風靡していた。佃煮がニッポンの食卓を仕切っていた時代があったのである。

食料が豊富でなかった時代、冷蔵庫がまだなかった時代、佃煮は人々にもてはやされた。

三度の食事の食卓には、毎回必ず、とっかえひっかえ、何らかの佃煮が載っていた。

おもしろいことに、この〝佃煮がスター〟の時代と、この〝いたいたの選手がスター〟の時代とが重なっているのだ。

いまや佃煮には昔日の面影はない。

往年のスター、という存在になってしまった。

「エート、佃煮というと、どんなものがあったっけ」

「アサリの佃煮」

「あった、あった」

「フキを煮たキャラブキ」

「あった、あった」

「コウナゴの佃煮」

「あった、あった」

「油味噌をシソの葉でくるんで二本の串に刺したシソ巻き」

「あった、あった」

おじさんたちは、「野球選手のいたいた遊び」から、「佃煮のあったあった遊び」に移っていくのである。

佃煮詰め合わせ
佃煮を描きわけるのはむずかしい

佃煮でも、けっこう遊ぶことができるのである。（しかし、佃煮で遊んじゃいけないナ）

デカンショー、デカンショーで半年暮ーらーす、という歌があるが、いたいたー、いたいたーで、半時もーたーす、ヨイヨイ。あとの半時ゃーあったでもーたーす、ヨーイヨーイデッカンショー、と、おじさんたちの夜は更けてゆく。

ぼくはどういうわけか葉唐がらしが好きで、いまでもデパートなどで目にすると買わずにはいられない。

買ってくると、熱いゴハンで食べずにはいられない。

佃煮界の中でも、他の連中と一味ちがった鄙《ひな》びた味わいで、葉っぱの味と唐がらしの味が口の中で混じりあっていくところがいい。

そこに熱いゴハンが混じりあっていくところがいい。

「イカを細く切った佃煮もありましたよね。細くて薄くてカンナ屑みたいな」

「あった。あった。甘くて、しょっぱくて、もつれていて、それがアメで煮てあるからくっついて」

「箸で簡単にはがれない」

「アミの佃煮なんてのも」「あった、あった」「ピーナツ味噌」「あったあった」「鰹の角煮」「あった、あった」

このころは、佃煮と共に、梅干し、お新香の全盛時代でもあった。「朝の食卓には必ず梅干し」の時代であったし、「タクアンだけでメシ三杯」の時代でもあった。

梅干し、佃煮、お新香は、強力な〝ゴハンの友トリオ〟であった。

しかしこのトリオは、高血圧の元凶トリオでもあった。元凶と指弾されて、次第にその地位を失っていった。

そうした流れの中で、梅干しとお新香は、減塩と調味料の添加によって、新たな路線を切りひらいていった。

つまり、梅干しとお新香は〝時代と寝た〟のである。

佃煮だけは寝なかった。

なぜ寝なかったのだろうか。

「本人は寝る意志があったんです」

おじさんの一人が言う。

「なにしろ器量がわるい。顔色もわるい。地黒《じぐろ》というやつですか。見映えがよくないし性格も暗い。そのうえ身なりをかまわない。例のイカなんか、髪ふり乱してますからね」

「もう少し梳《と》かすとか」

「梳かせばよかったんですよねえ」

「あれじゃ本人に寝る意志があっても」

「誰も寝てくれない」

佃煮は、往年の名声は確かに失ったが、その実力は誰もが認めるところである。

少数で強力。これだけは誰にも負けない。

だから、いまでも、少なくはなったが働く場所はある。

駅弁などの弁当だ。

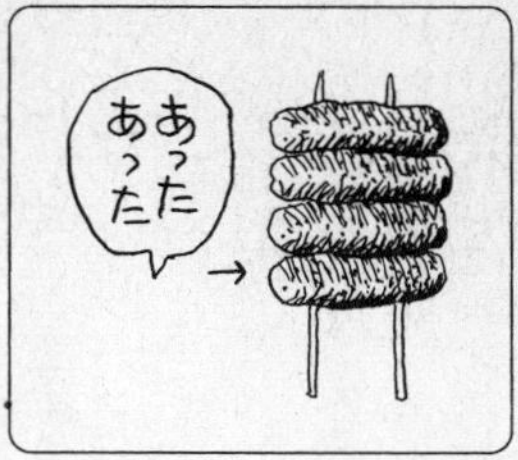

時代にもてはやされている主流のおかず達と少し離れた片隅に、切り昆布、キャラブキ、鰹の角煮などの佃煮たちがひっそりとひかえている。

彼らは、この食事に何か不測の事態が起こった場合にそなえて、片隅にひっそりと待機しているのである。

例えばおかずが足りなかった場合など、そういう万が一にそなえて、用意されているスタッフなのである。

つまり、万が一の場合の〝影の内閣〟として、生きのびているのである。

失敗即成功のアンパン

菓子パン界の四天王と言われる、アンパン、ジャムパン、チョコレートパン、クリームパンの中で、どれが一番好きですか。

なに？　アンパン。

そうでしょう、そうでしょう。いいんです、それで。（と、なにか奥歯にもののはさまった言い方）

でも、アンパンを食べていて、ふと、なにかこう、違和感のようなものを感じたことはありませんか。

パンの中にアンコが入っているという違和感。

アンパンを食べるとき、この丸いパンの中に小豆のアンコが入っているということははっきり認識している。

　なのに、いざ一口食べて、パンの中のアンコを舌で感じると、「アレ？　アンコが！」と、改めて少し驚く。そういうことってありませんか。

　え？　ない？

　弱ったな。ないと困るんです。ないとこの話、あとが続かないんです。無理にでもそう思ってください。

　え？　思った？

　それはよかった。

　たとえば、ジャムパンだとそういうことは決してない。

　これはパンの中にジャム

が入っているジャムパンだなと思ってジャムパンを食べると、ちゃんとジャムの味がして〝すべて世はこともなし〟という思いになる。

だがアンパンに限っては、〝アンパンにアンコの中身、なんの不思議もなけれど〟という心境になってしまう。

薔薇の木に薔薇の花咲く、なんの不思議もなけれど……。

馬鹿な親に馬鹿な子、なんの不思議もなけれど……。

なんの不思議もないが、なにか不思議だ。

考えてみると、「パンとアンコ」という組み合わせはアンパン以外にない。パンには、ジャムを塗ったり、マーマレードを塗ったり、ピーナツバターを塗ったりして食べることはあっても、アンコを塗って食べるということはない。

アンパンのときだけ、パンとアンコはいっしょになる。

滅多にない組み合わせが、「アレ?」という違和感を誘発するのではないか。

だいたいアンコというものは、いろんなものにもぐりこもうとする。

これはもう、アンコの本能と言ってもいい。

まんじゅう、大福、鯛焼き、タイコ焼き、アンマン、かしわ餅、ドラヤキ、人形焼き、キンツバ、最中、いずれももぐりこんで成功した。

ドラヤキなどは、まだ半もぐりの状態だが、一応なんとかもぐりこんだ。

もぐりこむのが無理な場合は、串団子のように、しがみつく、あるいはおおいかぶさるなどして、いずれもぐりこむチャンスをうかがっている。これはアンコの総本部、小豆機関の基本戦略なのだ。

この戦略は、和ものに対してはことごとく成功してきた。

その余勢を駆って、初めて洋ものに挑戦したのがアンパンなのである。

アンコは、パンにもぐりこんで成功したのか、しなかったのか。

アンコは、和もの界にあっては一定の品格を保っていた。

あるものは日本の伝統行事と結びつき、あるものは土地の名産として敬われ、またあるものは上流の手みやげ品として採用されるようになった。

アンコ＝ハイソサイアティという図式は無理にしても、そういう地位を謳歌しているものがいるのも事実だ。

一方、アンパンの社会的地位はどうか。

わたくしは、ＪＲの駅頭のキヨスクなどで、立ったままアンパンを口に押しこみ、牛乳で流しこんでいる人をしばしば見かける。

また、競輪場および競艇場などで、床にすわりこんでその方面の新聞をハゲシク検討しつつ、上着のポケットからアンパンを取り出してかじっている人々をしばしば見かける。

アンパンが、なぜか上着のポケットによく似合うことも、またよく知っている。

また、新宿の地下道の階段などで、手さげ紙ブクロとダンボールをかたわらにした人が、アンパンをかじっている姿もしばしば目にする。

ダンボールとアンパンが、これまたよく似合うこともよく知っている。

アンパンの社会的地位、という面から考えると、これらの事実をどうとらえたらいいのか。

むろん、銀座木村屋のアンパンという高級品もあることはある。銀座名物「木村屋のあんぱん」は〝御進物として贈って恥ずかしくない唯一のアンパン〟として知られている。

聞くところによると、木村屋には「六千円のあんぱん」さえあるという。ただし注文生産で、直径三十センチ、重さ数キロという超特大で、お年寄りの誕生日のプレゼントなどに喜ばれているそうだ。

しかし、木村屋のアンパンは特殊な例で、あくまで「唯一」の存在だ。

ダンボールの人がかじっているのは木村屋のアンパンではない。

肝心の味の点で、パンとアンコははたして合うのだろうか。

アンコはもともと味の立ちあがりが遅い。はっきり小豆の味だ、とわかるまでに少し時間がかかる。ジャムだと、食べてすぐジャムの味がする。

パンもどちらかというと、立ちあがりが遅いところがある。

だからアンパンは、はっきり〝アンパンの味〟がしてくるまでに時間がかかる。

「ウム、ウム、確かにアンパンだ」

と、その味を楽しむころには一個が終わりにさしかかっている。

パンとアンコは組み合わせがわるい。アンコがパンにもぐりこんだのは誤りであった。

その誤り具合を、逐一、フムフム、このように誤っているのか、と確かめながら、その誤りを楽しみながら味わうのがアンパンなのである。

美味、珍味、鰻の刺身

獲れたてでピチピチはねまわっている魚を目の前にすると、大抵の人は、

「これを刺身にして食べてみたい」

と思う。

魚に限らず、タコでもイカでも、少しでも動くと刺身で食べたくなる。エビでも貝でも、少しでも動くと、「刺身で……」ということになる。

動く、ということに、誰もが異常な関心を寄せる。

これを、日本人の〝動くと刺身で食べたくなる症候群〟という。大抵の日本人はこれにやられている。

日本旅館などで、食事に舟盛りが出てきて、並べられた鯛の尾がピクリと動いたりすると、「おお、動いた、動いた」と言って大喜びする。

貝殻の中のアワビがグニョリと動いた、と言って大喜びする。

動かないと、箸で突《つっ》いてまで動かして、動いた、動いたと言って喜ぶ。

魚介類が動く、ということに大変な価値を見出しているわけだ。

その究極の姿が水族館だ。泳ぎまわる鯵や鰹を見ながら、

「刺身にしたらおいしいだろな」

と、つぶやいている人が必ずいる。

〝踊り食い〟というのがあ

りますね。人間が、エライヤッチャ、エライヤッチャと踊りながら食べるわけではなく、シラウオのほうがエライコッチャ、エライコッチャと踊るやつ。

これなんかは、刺身の究極、ということになる。これ以上の刺身は絶対にありません。

と、このように〝動くと刺身で食べたくなる症候群〟にやられている日本人が、動いても少しも刺身で食べたくない魚が一つだけある。

鰻である。

ちゃんとした鰻屋に行くと、大きな桶の中に数十匹のまっ黒な鰻が、クネクネ、ニョロニョロと動いている。これを見て、「刺身で食べたらおいしいだろな」と思う人はまずいない。

なぜか。

鰻は刺身では食べられないと思っているからだ。

ところが食べられるんですね。

JR国分寺駅北口から歩いて数分のところにある「うな源」という店では鰻の刺身を出す。

「なに？　鰻の刺身？　んなもの、生臭くてギトギト脂っこくて食えたもんじゃないんじゃないの」

と大抵の人は思うにちがいない。

ところが全然ちがうんですね。

ぜんぜん生臭くないし、ぜんぜんギトギト脂っこくない。

では鰻の刺身とはどんな味なのか。

鰻の刺身は、舟型のガラスの器に氷を敷き、その上に春菊を敷き、その上に並べられて出てくる。見た目は、うん、そう、鯉の洗いに似ている。

鯉の洗いよりはやや厚めのそぎ切りで、黒い皮は引いてある。

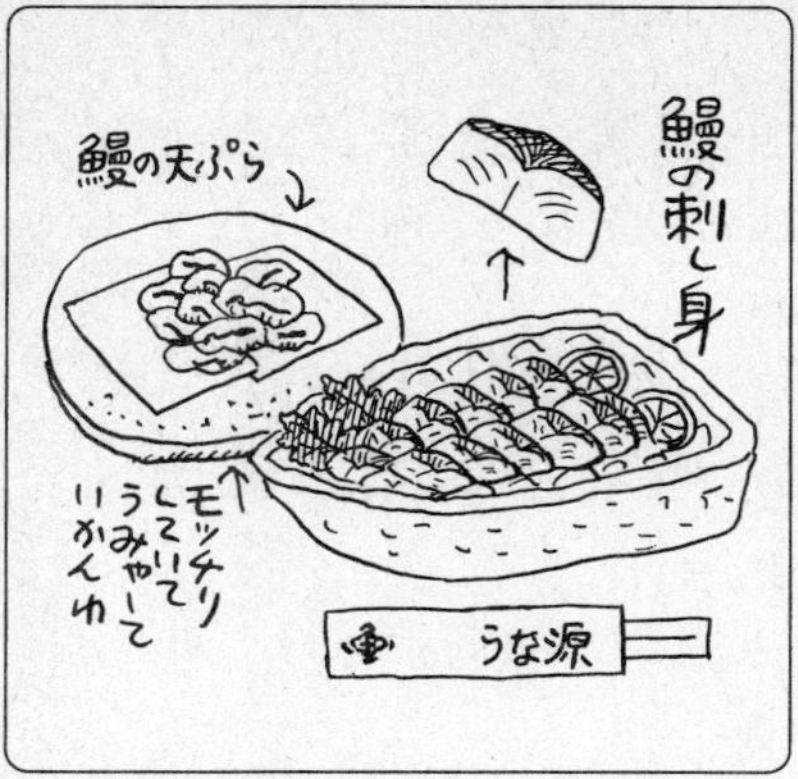

では、一切れ、ワサビ醤油にひたしていってみましょう。
うん、これは川魚とは思えぬ手強さのある歯ごたえで、うん、そう、この歯ごたえは、獲れたてのヒラメの刺身のプリプリを更にプリプリさせ、コシを加え、コリコリを加え、ほんの少しゴリゴリも加えたというような歯ざわりだ。
生臭みはまったくなく、最初のうちは噛んでいても何の味もしないが、そうですね、五噛みあたりから、じんわりと、香りのある魚の脂が口の中ににじんでくる。それも川魚の脂で、透明感があって香りがあって、そしてほんのり甘みがある。

美味である。

鰻の刺身の味は、鰻の脂の味であった。

そして、生の鰻の脂の味は、焼いたときの鰻の脂の味と似ても似つかぬものであった。

滋味にあふれた水のような脂。

植物油に近いような川魚の脂。

炭火で焼きあげたときの、脂まみれの鰻と、この刺身の鰻の違いように、ウーム、と驚き、しかし、ともう一切れ口に入れ、また、ウームとうなる。

二重人格。

変幻自在。

やはり鰻はただ者ではなかった。

テレビのグルメ番組などで、「どんな味ですか」とたずねると、

「口の中にじわーっと広がって……。とてもおいしい」

という表現によく出くわすが、この鰻の刺身の味は、

「口の中にじわーっと広がって……。とてもおいしい」

という表現がまさに所を得た感じがする。臼歯と臼歯で刺身を嚙みしめると、やや遅れ気味に鰻の脂がじわーっとにじんできて口の中に広がる。

肉そのものの味は淡白としか言いようがなく、ヒラメとカエルとスッポンとナマズを足して四で割ったような味だ。

ああ、ぼくはついに鰻を生で食べてしまった。

日本人同士なら、(そうか、鰻を刺身にして食べたんだな)と思ってくれるだろうが、外国人だったらどうだろう。生きてニョロニョロ動いている生の鰻を、踊り食いの要領で口の中にアングリと流しこんだんだな、と思われかねない。

だいたい日本人の生食い嗜好は、外国人には理解しがたいようだ。

アマゾン川の奥地に学術調査に行った日本人の一行が、現地で獲れた魚を刺身にして食べたところ、「何て野蛮な奴らだ」と身震いされたという話もある。

異国の文化の紹介には、言葉の違いから誤解が生じがちだ。

「日本人は魚を生で食べる」

「日本人は魚を踊り食いする」

「日本人は牛も生で食べる(牛刺し)」

となっていって、

「日本人は牛の踊り食いをする」

なんてことにもなっていきかねない。

どういう食べ方を想像するんでしょうね。

即席ラーメン改造計画

インスタントラーメンは年産四十五億食、国民一人あたり年間四十五食食べていることになる。もはや国民食と言ってもいいほどの存在となった。

世界的にも八十カ国以上の国に進出しており、その食糧としての地位は重いものとなりつつある。

昭和三十三年、一介の町工場から生まれた食品界の駆け出しは、二軍から一軍へ駆けのぼり、いまや更に上級の地位にのぼりつめようとしている。

それなのに、インスタントラーメンのマーケティングは、いまだに駆け出しのころの路線を踏襲している。

そのステイタスにふさわしいコンセプトによる新しいアイデンティティとポジショニングによるプログラミングによって、時代にふさわしいニーズと、ウォンツに対する新

たなマーケティング・アクションを起こすべき時期にきているのではないか。

　まずそのネーミングが、もはやそのステイタスにふさわしくなくなってきているのではないか。

　〝世界の食糧〟としての自負を持つインスタントラーメンのネーミングが「うまかっちゃん」でいいのか。「出前一丁」「よかとん」「うまいっしょ」などのふざけた名前でいいのか。

　テレビCMに起用するタレントも、現在はお笑い系が多い。

落語家、漫才師、コメディアンなどを多用しているが、この路線で、はたしていいのか。

そろそろ別の路線を模索すべき段階にきているのではないか。

〝世界の食糧〟としての地位にふさわしい、重厚かつ荘重、かつ優雅、かつ端麗、かつ辛口、そういった人物と交代すべき時期にきているのではないか。

そうした条件にマッチする人物とは誰か。

それは貴族である。

それもヨーロッパ貴族でなければならない。

「いくらなんでも、インスタントラーメンのＣＭにヨーロッパ貴族というのは、ちょっとふさわしくないんではないかい」

という人も当然いるだろう。

その考え方がすでに古いんでないかい。

かつて、同じインスタント仲間のコーヒーのほうは、コーダー伯爵、ロドルフ殿下を採用して、見事インスタントコーヒーのイメージアップに成功した。

ヨーロッパの古城、その大シャンデリアの下で、コーダー伯爵は執事に淹《い》れさせた粉末コーヒーを荘重な表情で重厚に飲んでみせた。

この執事が効いた。

日本人は執事によわい。

このCMによって、インスタントコーヒーの地位は急速に上昇した。

お中元、お歳暮に、インスタントコーヒーが用いられるようになっていった。インスタントコーヒーの、このコンセプト・メーキングによるアクション・プランニングが生みだした〝ロドルフ効果〟を、インスタントラーメンは見習うべきなのだ。

見習うと言っても、そのままというのはいけない。

インスタントコーヒーと、インスタントラーメンを比べれば、ラーメンのほうがはるかにその地位は上なのだから、ロドルフ殿下の兄、あるいはコーダー伯爵の祖父、といったひとクラス上を狙うべきだ。

こうなってくると、ネーミングのほうも、「うまかっちゃん」や「出前一丁」では、あまりにそのイメージがかけ離れてしまう。

古城、貴族、執事の三点セットに似合うものでなければならない。

したがって「王朝」「雅《みやび》」「華厳《けごん》」などの重々し

い名前が似合ってくる。

「ロマノフ三世」「ニコライ二世」「ヨーゼフ四世」などのジュニアシリーズ、あるいは、逆に清純なイメージを狙った「白百合」「聖心」「雙葉《ふたば》」あるいは「田雙《でんふた》」などの女子校シリーズもいいかもしれない。

ただし〝トンコツラーメン「雅」〟あるいは〝九州ぎとぎとラーメン「白百合」〟などの、名前と本体の不適合は今後の問題として残るかもしれない。

このようにして、インスタントラーメンは、いま、ニューコンセプトによるニューマーケティング戦略が次々に打ち出されようとしているわけだ。

ときあたかも、おそれおおくも今回はからずも起こった〝皇室報道〟によって、「菊の園生《そのう》」のかしこきあたりでもインスタントラーメンが愛好されているらしいことが漏れ伝わってきた。

インスタントラーメンは、いまや〝皇室御用達〟の地位さえ獲得したようなのだ。

いまこそニューマーケティング・アクションを起こす絶好の時期といえる。

インスタントラーメンのグレードアップによって、それに付随する商品も当然グレードアップされなければならない。

ぼくはインスタントラーメンを食べるときは、カップ、袋ものを問わず、必ずメンマだけは入れることにしている。

こうしたコンシューマーのニーズとウォンツに応えて、桃屋もメンマのビン詰のグレードアップをはからなければならない。

当然、シナ竹も十分吟味されたものとなるはずだ。

まず節《ふし》のないところだけが選ばれる。

柾目《まさめ》も当然重視される。

等間隔、まっすぐ、はっきり、この三つの条件をクリアしたものだけがビンに詰められる。

ネーミングも、ただの「桃屋のめんま」だけではいけない。

「めんまロイヤルゴールド『絢爛《けんらん》』」などどうだろうか。

そうなってくると、はたして三木のり平さんというのはどうだろうか。

遠藤周作、北杜夫、宮本輝、宮本亜門といった重鎮の方々に登場していただいて、ダバダー、ダバダーのメロディとともに、その「違い」を強調していただくことにしたい。

『ライジング・サン』の日本食

ジャパンバッシングの映画と言われている『ライジング・サン』を観ていたら、寿司のシーンと天ぷらのシーンが出てきた。

アメリカ人の脚本家が、日本の風習、食事習慣などを、かなり当てずっぽうに想像して脚本を書いたらしく、細部にかなりの誤りがある。

日本人役の俳優もたくさん出てくるが、顔は日本人でも、そのほとんどが日系二世、三世などだから、細部の誤りが正されないまま映像になったようだ。

寿司を食べるシーンはこんなふうになっている。

あお向けになった裸の女性のおなかの上に、寿司と刺身が形よく並べられている。

むろん、寿司の特殊な食べ方の一つとして紹介されているらしいのだが、こんなことをしたら、寿司も刺身も温まってしまうではないか。

多分、「わかめ酒」あたりから類推して、こういう食べ方もあるだろう、ということになってこういうシーンになったにちがいない。ま、それはそれでいい。

(誤りその①)

この寿司を、日本人役の俳優が、醬油をつけず口に放り込んでしまう。

そして、いかにも旨そうに口をモグモグさせる。(旨いわけねーだろ)

寿司なんか、アメリカで相当普及しているはずなのに、いざ映画になるとこのていたらくだ。

（誤りその②）

刺し身として並べられているエビは、赤い色をしていて、あきらかに茹でてある。

（誤りその③）

天ぷら屋のシーンでは、天ぷらのネタとして、まっ赤で巨大なピーマンが並べられている。赤いピーマンの天ぷらは見たことがない。

（誤りその④）

天ぷら屋は高級天ぷら屋で、コースのはずなのに最初からゴハンが出ている。

（誤りその⑤）

そのゴハンの盛り方がメチャクチャで、定食屋でもそんな盛り方はしないよ、というような凹凸の激しい盛り方になっている。

（誤りその⑥）

ここでも天ぷらのネタのエビが茹でてあって、しかも開いてある。

（誤りその⑦）

天ぷらの下に敷く白い紙が、ケーキ用のレース模様のついたレースペーパーだ。

このシーンに出てくる主役のショーン・コネリーは日本に何回も来ていて、和食も何回か食べているはずなのに、意外に細部のことは気づかないものらしい。

日本の映画などには、〝方言指導ダレソレ〟というのが出てくるが、この『ライジング・サン』には〝和食指導〟の人がいなかったのだろうか。

あるいは、いることはいたのだが、この人が少々怪し気な人だったのかもしれない。

ハリウッド周辺には、怪し気な人物がたくさんいて、怪し気な売り込み方をして、けっこうそれでまかり通っている場合が多いとか。

また、いろんな職業を経たのち、映画界に入ってくる人も多いようだ。

この映画は、寿司と天ぷらの二つだけで七つもの誤りを犯している。

もし、この映画が大当たりして、『ライジング・サン』PART2、PART3、と続いていった場合、和食のほうも次から次へと様々なものが登場してくるにちがいない。
スキヤキ、ヤキトリなどはまだいいとして、土びん蒸し、ふぐ刺し、湯豆腐、納豆などのややこしいものも登場してくるにちがいない。
そして、こうしたややこしい食べ物は、必ずややこしいシーンになるにちがいない。
またしても、怪し気な人物が、怪し気な和食のレクチャーをするにちがいない。

怪し気なレクチャーが、脚本に書き込まれるにちがいない。

納豆の部分は、脚本に次のように書き込まれるはずだ。

――納豆はもとより同族意識強きものにして、結着の意志固く、互いの離間を強く嫌うものなれども、チョップスティックの先端にて、およそ十粒ほどを全体のグループから離間せしめ、当該容器を傾け、ゴハン容器の上にかざし、当該部分をその上に落下せしめんとするも、尚《なお》、抵抗ノ態度止マザル所甚《はなはだ》シキモノ有リ。此処ニ於テ、当該人ハ心ヲ新タニシ、強キ意志ヲ以《もっ》テ両者ノ離間ヲ促シ、温キゴハンノ上ニ落下セシメ、而《しか》ルノチ、チョップスティックニテ当該ゴハン及ビ当該納豆ヲ同時ニ当該人ノ口中ニ投入シ、尚、抵抗スル同納豆ヲ劣情ヲ以テ咀嚼シ、而ルノチ嚥下《えんげ》スルコトヲ得――

といったようなことになるにちがいない。

この和食指導をした人は様々な職業を経てきた人で、その間に裁判所の書記などもやったことがある人なのだ。

むろん、かなりお年を召した人だ。

うまく売りこんで、いまやハリウッド周辺では、「和食のことならこの人」とまで言われている人物なのだ。

俳優は、この脚本を読んで予備知識を得たのち現物を目の前にするわけだが、もとより納豆はこの程度の知識で御しきれるしろものではない。

悪戦苦闘するシーンを、ぜひ見たいものだ。

土びん蒸しなんかはどういうことになるのだろう。ストローで吸うことになったりするのではなかろうか。

土びんの口はそのためにあるのだ、なんていう解釈がなされたりする。

ふぐ刺しは、きれいに並べるのは無理だから、皿の上に山のように盛りあげることになる。

湯豆腐だってえらいことになる。

チョップスティックの先端で、熱湯の中の豆腐をすくいあげようとしてままならず、鍋の隅まで追いつめ、鍋肌伝いにヨチヨチと持ち上げ、間髪ヲ入レズ醤油ノ入ッタ小皿ニ移サントスルモ、当該豆腐ハ崩壊シツツ小皿ニ落下シ、ソノ飛沫著《いちじる》シク背広ニカカリテ大騒ギトナルコト必定ナリ。

小倉トースト知らんのきゃ

この連載の何回か前にアンパンを取りあげ、

「考えてみると、『パンとアンコ』という組み合わせはアンパン以外にない」

と書いたところ、抗議の投書が殺到した。「ある」というのである。

「アンサンド」という、アンコをはさんだサンドイッチがあるという。

「小倉トースト」という、パンにアンコを塗ったものがあるという。

しかもこれらは、一部の人が愛好しているのではなく、喫茶店のメニューに必ず載っているし、パン屋でも売られているものだという。

「『アンサンド』を知らないなんて認識不足ではないか」

「小倉トーストを無視するとは何事だ」

「よく調べもしないでいいかげんなことを書くな」

などなど、非常に憤慨されている方々が多かったのが、今回の投書の特徴だった。中には、

「私の好きな『アンサンド』というものが、この世に存在しない、という前提で書かれたのなら、それならそれでいい」

と、なんだか泣きくずれているような内容のものさえあった。

ぼくのいいかげんな断定が、各地に災害をもたらしたようなのだ。

今回被害に遭われた方々には、衷心よりお詫び申しあげます。

断定のこわさというものを、今回つくづく思い知らされました。

政治家などは、断定にはずいぶん気をつかうと言われている。

慎重すぎるほど慎重でなければならない、とされている。

今回も、「『パンとアンコ』という組み合わせはアンパン以外にない」と断定せずに、「『パンとアンコ』の組み合わせは、アンパン以外にない、という意見があるやに承っておりますが、私もその意見に賛成するにやぶさかでない、のは山々、というふうに、アーウー、ハーハー、ホーホー、マーコノー、というようにご理解いただきたい、ということだわな」

というふうに書けばよかったのだ。

さきほど「各地に災害……」と書いたが、投書者の住所を調べてみると、何とこれがすべて名古屋方面からであることに気がついた。

いまのところ、被害は名古屋地区のみに限られているようだ。

しかし、今後被害が拡大するようだと、現地に対策本部を設け、特設テントの設置、被害者の収容、おにぎりの炊きだしなど、それなりの対応を考えていかなければならなくなる。

よく考えてみると、「パンとアンコ」に限らず、意外な組み合わせというものは世の中にいくらでもあるものなのだ。

その地方では当然であってもよそからみると意外、というものはたくさんある。

ぼくは海のない山村で育ったので〝味噌汁の中に魚の切り身を入れる〟というのが信じられなかった。

気持ちがわるい、とさえ思ったものだった。

「納豆に砂糖」も、実際にあるということを聞くまでは信じられなかった。

北海道、東北、北陸の一部で、納豆に砂糖をかけて食べる習慣があるということは、いまではかなりの人が知っている。

お隣の韓国では、海苔巻きにカレーをかけて食べる。

オボロや干ぴょうを芯にした中巻きぐらいの海苔巻きを、一口大に切って皿の上に並べ、その上にカレーをかけて食べる。

こうなってくると、疑心暗鬼は強くなってくる。

なんだってアリ、の心境になってくる。

「蕎麦にケチャップ」

ない、と断定するのがこわい。

断定したとたん、対策本部を設けなければならなくなる。

「豆腐にチョコレート」

「コンニャクにアンコ」

ない、とは断定できない。

「ホットケーキに味噌汁」

「わたしの地方では、ホットケーキに味噌汁をかけて食べます。喫茶店のメニューにちゃんとあります」

という投書がくるかもしれない。

「稲荷寿司にアンコ」

稲荷寿司の中身はゴハンだが、中身がアンコ、という地方もあるかもしれない。

「食堂のメニューにちゃんとあります」

という投書がくるかもしれない。

「うどんにコーヒー」「ヨーカンにバター」「ショートケーキにお醤油」「納豆にジャム」

……

こうなってくると、まさに〝仁義なき戦い〟という観がある。乱戦、混戦。『うどんにコーヒーをかけてヨーカンとショートケーキと刺し身とメロンとタクアンを入れる』

という大混戦ものも、ない、とは断言できない。断言したとたん、

「ない、と言うつもりなら、それならそれでいい」

と泣かれることになる。

「刺し身に油」

これはちゃんとあります。

中華の海鮮料理「廣式魚滑」は、鯛の刺し身にピーナツオイルのタレをかけて食べる。

「ゴハンにアンコ」

これは一見なさそうだが、実はポピュラーな食べ物なのである。モチ米をまぜて炊いたゴハンを半潰しにして、アンコをまぶしたものがボタモチだ。

「カツにチョコレート」

これも、実際にそういうものを出す店が、早稲田大学の近くにある。

「刺し身にジャム」

まさかこれだけはあるまい、と思っていたら、さにあらず。九州の一部では、ヒラメなどの白身の刺し身にキウイジャムを薄くのせ、その上からカボスを一滴ふりかけて食べるそうだ。（ウソです）

滅びるなかれ大根おろし

大抵の居酒屋のメニューに、「おろしグループ」というものがある。

しらすおろし。

なめこおろし。

いくらおろし。

お酒もたくさん飲み、食べるものもいろいろ食べ、それでももう一杯だけ飲みたい、そういうときに彼らはぴったりくる。

塩辛、コノワタのたぐいもわるくはないが、この両者では飲み続けた口中のねばりはとれない。

大根おろしが口中を洗う。

清涼。清新。再起。

おろしグループには、ほかにもタラコおろし、納豆おろしなどがあるが、おろし界の大立者と言えばさっきの三者ということになる。特にしらすおろしは、おろし界の傑作だと思う。

海の塩気。大地の清涼。野菜からの水気。そこに加わるかすかな海の蛋白。水気ににじむ醬油。ちりばめられた繊維の歯ざわり。点々と散在するかぼそい魚肉の歯ごたえ。そして全体を貫いている大根の辛み。

かくして、もう一杯は、白玉の歯にしみとおって口中をかけぬける。

さらに、大根の消化酵素群、ジアスターゼ、タカラーゼ、オキターゼたちが、胃の中にすでに収まっている澱粉たちを、ホイキターゼ、ソラキターゼと消化していき、澱粉たちも、マカシターゼ、タノンダーゼと彼らを励ます。

さらに、ワサビと同じ成分の辛みのもとシニグリンが、死ニモノグリンになって食欲を増進させてくれる。

大根おろしというものは、特に目立つ存在ではないが、日本のおかず界を陰で支えている大物である。

キンピラごぼうを日本のおかずの父とするならば、大根おろしは日本のおかずの母である。

例えに少し無理があるようだが、当然そういうことになる。

みずからは表に出ていかないが、来るものは拒まない。しらすでもイクラでもタラコでも、来たものをなだめ、和らげ、ゆるめ、馴らし、励まし、とりなす。

このように、大根おろしは日本人の食生活と切っても切れない関係にあるのだが、問題はおろす作業だ。

大根をおろしていると、途中で一回必ずため息をつく。

大根一本を、一回もため息をつかないですり終えることができたら、その人は偉人である。常人ではない。

大根をおろす作業はあまりに不安定要素が多すぎる。

左手で大根おろし器をしっかりつかみ、容器にしっかり押しつけ、右手でしっかり大根を握り、その大根を大根おろし器にしっかり押しつけ、しっかり上下に揺り動かす。

この〝しっかり〟をおろそかにすると、すべての作業が破綻する。しっかりの部分で、しっかり疲れてしまう。

そのうえ、揺り動かしても、揺り動かしても、生産される大根おろしの量があまりに少ない。

これほど労多くして、収益の少ない作業はほかにないのではないか。

大根おろしがいかに大変かは、大根をおろしたあと、とろろ芋をおろしてみるとよくわかる。

なんでこんなにスイスイと楽におろせるのか、不思議な気さえする。三十センチぐらいの長芋でも、アッというまにおろせてしまい、力あまって、

「あと三十本ほど持ってこい」

と怒鳴っているおとうさんもいる。（いないか）

ここで話は突然〝家庭内苦労〟に移る。

「家庭内暴力というのは聞いたことがあるが、家庭内苦労というのは聞いたことがない」

とご不審の諸兄も多いことと思う。

たったいま、ぼくがつくった新語だから、それは当然のことだ。

その昔、日本の子供たちは、いろんな家庭の用事をいいつけられていた。

ゴマをするときは、すり鉢のフチをしっかり持っているようにいいつけられた。

おもしろくも何ともなくて、子供たちには不評であった。

毛糸のワッカを両手を突っぱって保持し、母親が毛糸玉にするのを助けるのも子供の役目だった。

両腕がすっかり疲れて、これも子供たちに不評だった。

フトンの打ち直しをするとき、フトンのヘリをしっかり持って、反対側で引っぱる母親と対抗する役目も子供のものだった。

母親の強引な引っぱりに、非力な子供は引き寄せられ、「しっかり持ってなさいよ」と叱られて、これも不評であった。

雑巾がけ、というものもあった。廊下の端から雑巾を押していき、反対側に到着すると引き返してくる。

息がきれ、腰が痛くなり、これは大不評であった。

大根おろしをおろすのも子供の役目だった。太い大根は子供の小さな手に余り、おろし金はすべり、丼はひっくり返り、これも大不評だった。

すなわち、以上述べてきたことは、日本の子供の苦労史である。このほかにも、家庭外の苦労はたくさんあったが、家庭内に限ってもこんなにたくさんの苦労があったのである。

いま、子供の苦労は絶滅しようとしている。

お母さんはすり鉢を使わなくなったし毛糸も編まなくなった。

布団も打ち直さなくなったし、雑巾をかけるべき廊下もなくなった。

唯一残ったのが大根おろしである。

むろん、フードプロセッサーなどで大根をおろすことは可能だ。

一度やってみるとわかるが、これだと全然味がちがう。繊維がザラザラと舌にあたっておいしくない。

それより何より、苦労の保存は大切である。

かろうじて滅びずに残った苦労、大根おろしの保護育成に、全国の父母はいまこそ立ちあがらねばならない。

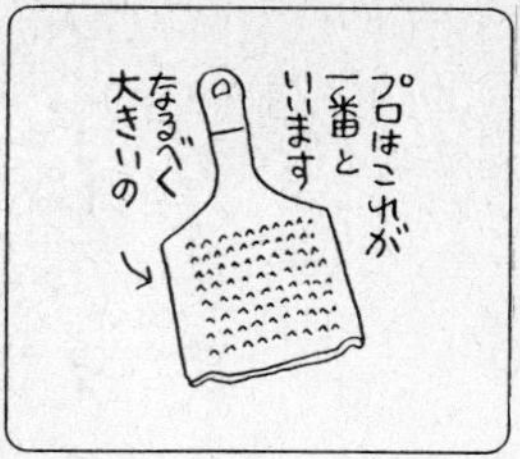
プロはこれが一番といいます
なるべく大きいの

餃子といえどフルコース

「ホテルでフルコース」

は、みんなの願いだ。

ホテルの一流レストランで、フランス料理のフルコースを食べる。

一度でいいからそういうことをしてみたい。

そしてできることなら、

「きれいな女の人と」

と、男なら考える。

そして、できることなら、

「都心の一流ホテルで」

と考える。

バブルのころは、こういう願いが、けっこう叶えられていた。

毎年のクリスマスイブには、若い男女が「ホテルでフルコース」を実行していた。

夢のフルコースは次のように展開する。

きらめくシャンデリア、真っ白なテーブルクロス、細くて長いシャンパングラス。エスカルゴの殻焼きブルゴーニュ風のオードブルから始まって、ビーフコンソメ・ヘンリー四世風、ドーバー産舌平目フレンチベルモットプレゼー、鹿背肉ソテー・グランヴヌールソース・サン・テュ・ベール風。
（銀座マキシムのメニューより）

ホテルのフルコースにもいろいろある。

栃木県の宇都宮のホテルでは「餃子のフルコース」を食べさせるという。

クリスマスイブに「都心でないホテルで餃子のフルコースを食べる」。

これこそまさに、バブル崩壊後にふさわしいクリスマスの過ごし方ではないだろうか。

しかも「きれいな女の人と」ではなく、「中年の男同士で」というのが、さらにバブル崩壊後にうってつけと言えるのではないだろうか。

要約してみると、今回の企画のタイトルは次のようになる。

「クリスマスイブに、都心でないホテルで餃子のフルコースを中年の男同士で食べる」

しかしバブルの崩壊は、このささやかな望みさえ叶えさせてくれなかった。

バブル以前であれば、ホテル到着後、温泉入浴、芸者入場、トテチンシャン、おひとついかが、の世界に耽溺したのち、餃子のフルコースの夜という段取りになるはずであった。

いまや経費節減はいかなる企業にも行きわたっている。

『週刊朝日』特派記者N氏とぼくは、当然のように「東北新幹線にて正午宇都宮到着。ホテル直行。ただちに餃子フルコース開始。ただちに終了。ただちに東北新幹線にて帰着」を言いわたされたのであった。

宇都宮駅から車で十五分で宇都宮グランドホテルに到着。

そも「餃子フルコース」とはどのような展開になるのだろうか。

最初のオードブルはどのようになるのだろうか。

「雲南省産黒豚チャーシュー、ナルト添え」というようなことになるのだろうか。

スープは、「チャーハン用スープ・ネギ風味」というようなことになるのだろうか。

駅弁コーナー
べんとう
宇都宮餃子駅弁
宇都宮はいま
ラーメンの喜多方のごとく
餃子の宇都宮として
売りだそうとしている

宇都宮グランドホテル内の「北京」が、日本で唯一の「餃子フルコース」を出す店だ。立派な中華料理店で、赤いテーブルクロスの上にはすでにメニューが用意されている。

①蒸餃併盤（蒸し餃子のオードブル）
②燴魚翅餃（フカヒレの餃子）
③乾焼蝦餃（エビ餃子チリソース）
④豆豉魚肉餃（魚餃子の豆豉《ドウツー》ソース）
⑤糖醋鮮貝餃（ほたて餃子の甘酢ソース）
⑥牛肉水餃（牛肉の水餃子）
⑦草苺餃子（イチゴ入り揚げ餃子）

コースの料金は六千円である。

どうもなんだか、餃子に次ぐ餃子のようだ。

どうやら、全面的に餃子が攻めてくるらしい。
①は、飲茶によく出てくる透明感のあるモッチリ皮の蒸し餃子で、赤と青の二色。具はエビの荒切りが主体で筍少々入り。
②フカヒレ主体の具にカニ少々入り。茶色いフカヒレ入りの醬油味のあんがかかっている。
④鯛の荒切りの具の餃子を揚げ、豆鼓ソースの黒いのがかかっている。
といったように、いわゆる街でよく見かけるふつうの餃子は一つも出てこない。

具が、フカヒレ、エビ、鯛、ほたて、牛肉。それを包んで油で揚げたものに、中華系の醬油味あんかけ、チリソース、甘酢ソースなどをかける、というのが基本理念のようだ。

やはり、全面的に餃子が攻めてきたのだった。

変わり餃子が一堂に会した、と言うこともできる。

いろいろな変わり餃子を次から次へと持ってきた、とも言える。ただひたすら餃子だらけであった、と言うこともできる。

だが、餃子をすみずみまで堪能してすっかり満足した、ということだけははっきり言える。

しかし、クリスマスイブの若い男女のムード作りに役立つか、ということになると、若干の疑問を禁じえない。

話は突然変わるが、「餃子のフルコース」があるなら、「ゴハンのフルコース」というのがあってもいいような気がする。

時あたかも米は部分開放に突入した。

米の銘柄はまさに百花斉放となるにちがいない。

国内産、国外産と、様々な銘柄の米が出回るようになる。

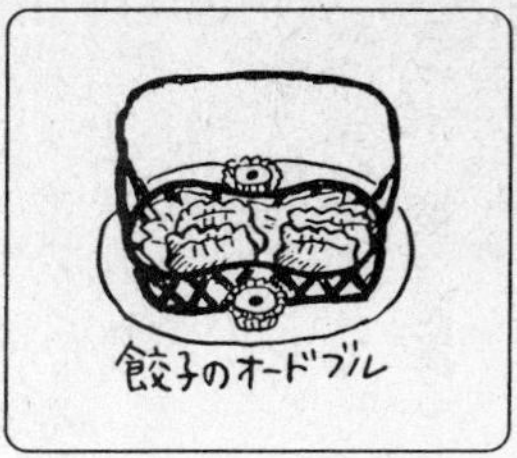

そこで「ゴハンのフルコース」。

テーブルの上には梅干しの小皿だけ。そこんところへ、次から次へと、

「秋田産ササニシキでございます」

「タイ産インディカコマチでございます」

「オーストラリアドドマンナカでございます」

とゴハンがやってくるのだ。

案外いけるかもしれない。

カツ・サンドの丸かじり

みうらじゅん

僕は機内食《きないしょく》ってやつを味わって食べたことがない。口に運んだ記憶は数回あるのだが、全く味覚がない。二口ぐらいしてすぐに蓋を閉じる。そしてすぐさま毛布を頭からスッポリ被って寝る。いや、寝られやしない！　寝たフリ。目的地に着くまで必死で寝たフリを続ける。

「ティ　オア　カフィ？」

〝う…煩《うるさ》いっ！〟

どう見たって僕は寝てるだろ!?　そんな護送中の犯人ファッション男にまで気を遣わんで欲しいのだ。

「着陸態勢に入りますのでシートベルトをしっかりお締め下さい」

〝わ…分ってる！〟

こちとら乗った時からベルトはしっ放し、リクライニングなんて倒したこともないぜ！

僕は足探りっていうの？　両足を伸ばし前方座席の下に滑り込ませる。自動車の運転免許なんて持ってないので、どちらの足がブレーキかアクセルか分らないが、それでも僕は力いっぱい踏み込む！　ブレーキの方を踏み込む！

〃キキキッキ――――ッ！　ゴォ――――ッ!!〃

踏み込みが足らんか！　さらに力を込めて踏み込むっ!!

「当機はケネディ空港に着陸しました」

僕の御蔭もあって、やっと飛行機は地に足を着けた。もう汗だくである。中学時代見たパニック映画『エアポート』シリーズの機長さながらの緊張からやっと解放される時である。〃もう二度とこの職場に戻ることはないだろう〃いつもそう心に誓い、僕は空港を後にする。

「だから悪いけど国内は新幹線にして欲しい！」

僕は一人の時はもちろんのこと、仕事で移動する時、編集者にお願いする。九州までだって6時間ぐらいでしょ、いいじゃない僕が話し相手になるし、恋の悩みだって聞いてあげるしさ。トランプだって、マグネット式の将棋だって盛り上ると思うよ！

新幹線だと仕方なく朝は早い。起きられそうにないので、前夜から起きておくのは僕の旅のルール。5年前から患っている十二指腸潰瘍も痛むわけさ。時折、酸っぱいものが上ってきて今にも吐きそう。

がんばれ！

待ち合せ時間より少し前に東京駅に着いたのには理由がある。これから乗る楽しい新幹線の中で食べる弁当を物色するためだ。焦って買ったものにロクなものはない。限定された弁当を車中で買うほど悲しいことはない。

僕はゆっくり新幹線乗り口あたりをブラつく。途中で薬屋に寄り、十二指腸潰瘍に効く〝ガスター10〟を買入、その場で一粒飲み込む。これで万全！

〝どうよ？　今の気分は〟

かつてボブ・ディランがフォークからロックに転身した時作った名曲『ライク・ア・ローリング・ストーン』の一節〝HOW DOES IT FEEL?〟しかし今の僕が自問自答しているのは、腹の具合だ。

〝牛肉弁当でいく？　それともアッサリ深川弁当？〟

〝うーん……〟

弁当屋のショーケース、睨みつけてたら僕の後ろに列が出来やがった。

〝ちょいパス〟

僕は速やかに列から離れ、オッサンやオバハンの尻の間から見え隠れするショーケースを睨む。

〝ガスター10〟は完全に効いてきた。昨夜から全く寝てないなんて思えない。規則正しく生活してる人たちと何ら変わらぬ腹の虫が〝キュルキュルキュルキュル〟と鳴いている。

「すいません〝ハゲ天弁当〟は売り切れました」

ヤ…ヤバイ！

食う気はなかったけど、銀座ハゲ天のテンプラ弁当が目の前で無くなった！

〝こんな朝っぱらからテンプラ食う奴の気が知れんな〟、僕はそう思うことで後悔をチャラにした。

実は僕は狙ってたものがあった。〝こんな朝っぱらから〟と思っていたので躊躇していたのだが、積み上げられた当初40㎝以上あった弁当箱がどんどん低くなっていくのを見て焦り始めたのだ。

それは〝まい泉〟のトンカツ・サンドだ。

汗が出始めた。それも嫌な汗だ。このチャンスを逃すと一生出会えないような、切なさすらある冷汗だ。

僕は再び列に戻り、〝まい泉！　まい泉！〟と念仏を唱えた。ひょっとして僕の手前でハイおしまいってこともある。その時のショックを和らげるためにも今、別のことを考えよう。無意識に〝あぁ、まい泉のトンカツ・サンドね、これもらおうか〟ぐらいの余裕があった方がいい。

「六個入りですか？　九個入りですか？」

二人《ふたり》前のオッサンが店員に聞かれている。

〝どーする!?〟

自分の番になって焦るようでは大人気ない。編集者もいることだからここは九個でも構わないか？　いや待て！　編集者もきっと弁当は買うだろう、「もう、おなかいっぱいっス」なんて言われちゃ困る！　長持ちはする方だけど、きっと岡山あたりでパンはカサカサになってしまうだろう。でも、六個の方にした場合、編集者が「おいしそうですねぇー、一つ貰えません？」なんて言ってきたらどうしよう？　僕は絶対、六個は食べたいのだ！

「何、なさいます？」

嫌が上にも順番がきてしまった。僕の分のトンカツ・サンドは目の前にある。今の問題は六個か、九個……えーい！

「六個入り下さい」

僕は咄嗟にケチの方を選んでしまった。

時計を見ると、出発時刻の15分前。僕は何か一仕事終えたように疲れ切っていた。編集者との待ち合せは車中にしていたので、まい泉のトンカツ・サンドの入った白いビニール袋を提げ、改札口を通った。

指定券の番号を確認しつつ、新幹線に乗り込む。編集者はまだ席にはいなかった。僕の番号を見ると〝B席〟、とっても嫌いな通路側だ。ま、いいか！　窓側に座っていても「みうらさん、それオレの席」とは言わんだろ。

絶対言われないように僕はリクライニングを思い――っきり倒し、テーブルも出し、靴も脱ぎ、靴下まで脱いで前座席の網ポケットに突っ込んだ。空腹時にタバコを吸うとまたも胃が痛むが、弁当を前にしてやることもない。タバコに火を付けたら、何と禁煙車じゃないのさー！　出版社にチケット取ってもらったから仕方ないけど、どーすんの6時間も。

出発まで10分を切った。まだ来ない。大丈夫か？　それより腹が減ってイライラしてきた。こんなことじゃ編集者が来て、「おはようございます」なんて言われても爽やかに対応が出来ない。

ま、いいか一個ぐらい。何たってこちとら十二指腸潰瘍、何か食べないと胃酸過多で胃壁を荒らしますがな。

僕はまだ温もりが残るトンカツ・サンドの箱を開け、ラッピングしてある一個を取り出した。

口の中にジワーッとトンカツの甘さが広がった。〝うまい！〟井泉から、まい泉に名前が変わってもそのうまさに変わりはない。

誘い水、いや誘いトンカツ・サンド。〝もう一個ぐらい〟、〝どーせ僕が買ったものだから誰も文句は言わんだろ〟、心の中で独り言連発！　次々に無くなっていくトンカツ・サンド、トンカツ・サンド、トンカツ・サンド……

すっかり食べてしまった。

発車を知らせる電子音がホームに鳴り響いている。編集者はまだ来ない。それより先ほどから咽が詰って仕方ない。誰かお茶を！　プリーズ!!

とうとう新幹線はホームを離れてしまった。

「すいません！」

振り向くと編集者の姿があった。

「車両を間違えてまして――」

そう言うと、何のクレームもなく〝B席〟に座った。僕はホッとした。

「朝食まだですよねぇー、弁当買ってきましたので、これ」

白いビニール袋から〝深川弁当〟という文字が覗いていた。お茶のペットボトルも入ってる。

僕は何かうまい言い訳をする機会を逃してしまい、膝の上に弁当を置いてしまった。

「○○さんは何にしたの？」

「私はトンカツ・サンドです。朝っぱらからと思うでしょー、これ好きなんですよ」

見慣れた箱を開け、

「一つ、どうですか？」

と言った。九個入りだった。僕が欲しがった時を考慮しての選択に違いない。

僕はその時、必死で食い終ったトンカツ・サンドの箱を足で座席の下に入れていた。

「○○さんって、いくつだっけ？」

「この間、28歳になりました」

「へぇー」

僕は42歳になったばかり。勧められるままにトンカツ・サンドを一個、口に頰張った。

終点、博多まではまだまだ時間が残されていた――

光栄にも東海林さんの本の解説を頼まれ、どうしたものかと考えた挙句、こんな大人気ない話を書いてしまいました。すいません……

（イラストレーターなど）

〈初出誌〉
「週刊朝日」一九九三年七月九日号～一九九四年四月八日号連載
「あれも食いたいこれも食いたい」
単行本　一九九五年一月　朝日新聞社刊

文春文庫

ブタの丸《まる》かじり

定価はカバーに
表示してあります

2000年9月1日　第1刷

著　者　東海林《しょうじ》さだお
発行者　白川浩司
発行所　株式会社 文藝春秋
東京都千代田区紀尾井町3—23　〒102-8008
TEL 03・3265・1211
文藝春秋ホームページ　http://www.bunshun.co.jp
文春ウェブ文庫　http://www.bunshunplaza.com
落丁、乱丁本は、お手数ですが小社営業部宛お送り下さい。送料小社負担でお取替致します。

印刷・凸版印刷　製本・加藤製本
Printed in Japan
ISBN4-16-717745-5

文春文庫　ノンフィクション

文春文庫　ノンフィクション

須賀敦子　ヴェネツィアの宿
杉原美津子　老いたる父と
杉本苑子　決断のとき　歴史にみる男の岐路
杉本苑子　東京の中の江戸名所図会
杉本苑子　歴史を語る手紙たち
杉本苑子　永井路子　「時代」を旅する
杉山隆男　メディアの興亡上・下
鈴木明　「南京大虐殺」のまぼろし
鈴木秀子　死にゆく者からの言葉
鈴木洋史　天国と地獄　ラモス瑠偉のサッカー戦記
鈴木博之　東京の［地霊］ゲニウス・ロキ
スチュアート　ヘンリ　はばかりながら「トイレと文化」考
関容子　役者は勘九郎　中村屋三代

関川夏央　貧民夜想會
関川夏央　森に降る雨
関川夏央　知識的大衆諸君、これもマンガだ
関川夏央　「ただの人」の人生
関川夏央　家はあれども帰るを得ず
瀬戸内晴美　インド夢幻
妹尾河童　河童の対談おしゃべりを食べる
妹尾河童　河童のタクアンかじり歩き
妹尾河童　河童が覗いたトイレまんだら
妹尾河童　河童が覗いた「仕事場」
妹尾河童　河童が語る舞台裏おもて
妹尾河童　河童のスケッチブック
曽野綾子　誰のために愛するか（全）

曽野綾子　神さま、それをお望みですか　或る民間援助組織の二十五年間
高木勉　八甲田山から還ってきた男　雪中行軍隊長・福島大尉の生涯
高木俊朗　インパール
高木俊朗　抗命
高木俊朗　戦死
高木俊朗　陸軍特別攻撃隊　全三冊
高木俊朗　全滅
高木俊朗　憤死
高木俊朗　ルソン戦記　上・下　ベンゲット道
高樹のぶ子　熱い手紙
高島俊男　本が好き、悪口言うのはもっと好き
高島俊男　お言葉ですが…
高田信也　イタリア讃歌　手作り熟年の旅

高橋紘　天皇家の仕事　──読む「皇室事典」
高見順　昭和文学盛衰史
高見順　敗戦日記〈新装版〉
高見順　終戦日記
高峰秀子　私の梅原龍三郎
高峰秀子　わたしの渡世日記　上・下
高峰秀子　にんげん蚤の市
高山正之　立川珠里亜　弁護士が怖い！　日本企業がはまった「米国式かつあげ」
竹内久美子　そんなバカな！　遺伝子と神について
竹内久美子　賭博と国家と男と女
竹内久美子　浮気人類進化論　きびしい社会といいかげんな社会
竹内久美子　パラサイト日本人論　ウィルスがつくった日本のこころ
竹内実　北京　世界の都市の物語

文春文庫 ノンフィクション

田辺聖子 死なないで
田辺聖子 浪花まごと
田辺聖子 女のとおせんぼ
谷崎光 中国てなもんや商社
谷沢永一 司馬遼太郎エッセンス
谷沢永一・渡部昇一 こんな「歴史」に誰がした 日本史教科書を総点検する
谷沢永一 人間通と世間通 〝古典の英知〟は今も輝く
田原総一朗 メディア王国の野望
田原総一朗 日本コンピュータの黎明 富士通・池田敏雄の生と死
玉木正之編著 定本・長嶋茂雄
玉村豊男 料理の四面体
玉村豊男 男子厨房学《メンズ・クッキング》入門
玉村豊男 食の地平線

玉村豊男 食いしんぼグラフィティー
俵万智 りんごの涙
俵万智 短歌の旅
俵万智 かすみ草のおねえさん
千葉敦子 乳ガンなんかに敗けられない
千葉敦子 わたしの乳房再建
千葉敦子 寄りかかっては生きられない 男と女のパートナーシップ
千葉敦子 よく死ぬことは、よく生きることだ
千葉敦子 ニューヨークの24時間
千葉敦子 ニューヨークでがんと生きる
千葉敦子 「死への準備」日記
陳舜臣 人物・日本史記
陳舜臣 三国志と中国

陳舜臣　イスタンブール　世界の都市の物語
塚本哲也　ガンと戦った昭和史　塚本憲甫と医師たち
塚本哲也　わが青春のハプスブルク　皇妃エリザベートとその時代
辻静雄　料理に「究極」なし
土屋賢二　われ笑う、ゆえにわれあり
土屋賢二　われ大いに笑う、ゆえにわれ笑う
筒井康隆　不良少年の映画史（全）
筒井康隆　腹立半分日記
筒井康隆　文学部唯野教授のサブ・テキスト
綱淵謙錠　幕末に生きる
綱淵謙錠　歴史の海　四季の風
綱淵謙錠　島津斉彬
津本陽　のるかそるか

津本陽　武の心
出久根達郎　漱石を売る
出久根達郎　思い出そっくり
寺崎英成　マリコ・テラサキ・ミラー編著　昭和天皇独白録
寺山修司　ぼくが狼だった頃　さかさま童話史
戸板康二　ちょっといい話
戸板康二　最後のちょっといい話　人物柱ごよみ
戸板康二　ぜいたく列伝
戸板康二　あの人この人　昭和人物誌
東條由布子　祖父東條英機「一切語るなかれ」増補改訂版
ドウス昌代　日本の陰謀　ハワイオアフ島大ストライキの光と影
藤堂志津子　あなたがいて、そして私
藤堂志津子　風にまかせて女のほんね

文春文庫　ノンフィクション

中村紘子　アルゼンチンまでもぐりたい
中村保男・谷田貝常夫編　日本への遺言　福田恆存語録
中山千夏　からだノート
南木佳士　ふいに吹く風
なだいなだ　不眠症諸君!
夏樹静子　女優X　伊沢蘭奢の生涯
夏目鏡子述・松岡譲筆録　漱石の思い出
夏目伸六　父・夏目漱石
夏目房之介　古典教養そこつ講座
ナンシー関・大月隆寛　地獄で仏
ナンシー関　テレビ消灯時間
南條範夫　大名廃絶録
ニコリ編著　てこずるパズル

西尾幹二　異なる悲劇　日本とドイツ
西川勢津子　ちょっとすてきないしょ話
西丸震哉　山小屋造った…ネコも来た!
日本エッセイスト・クラブ編　耳ぶくろ　—'83年版ベスト・エッセイ集
日本エッセイスト・クラブ編　午後おそい客　—'84年版ベスト・エッセイ集
日本エッセイスト・クラブ編　人の匂ひ　—'85年版ベスト・エッセイ集
日本エッセイスト・クラブ編　母の加護　—'86年版ベスト・エッセイ集
日本エッセイスト・クラブ編　おやじの値段　—'87年版ベスト・エッセイ集
日本エッセイスト・クラブ編　思いがけない涙　—'88年版ベスト・エッセイ集
日本エッセイスト・クラブ編　誕生日のアップルパイ　—'89年版ベスト・エッセイ集
日本エッセイスト・クラブ編　チェロと旅　—'90年版ベスト・エッセイ集
日本エッセイスト・クラブ編　ネパールのビール　—'91年版ベスト・エッセイ集
日本エッセイスト・クラブ編　明治のベースボール　—'92年版ベスト・エッセイ集